*Corax*
de Stéphane Dompierre
est le neuf cent quatre-vingtième ouvrage
publié chez
VLB ÉDITEUR.

VLB ÉDITEUR
Groupe Ville-Marie Littérature inc.
Une société de Québecor Média
1010, rue de La Gauchetière Est
Montréal (Québec) H2L 2N5
Tél. : 514 523-1182
Téléc. : 514 282-7530
Courriel : vml@groupevml.com

Vice-président à l'édition : Martin Balthazar

Éditeur : Stéphane Berthomet
Direction littéraire : Martin Bélanger
Design de la couverture : Julien Del Busso
Photo de l'auteur : Mathieu Rivard

Catalogage avant publication de Bibliothèque et Archives
nationales du Québec et Bibliothèque et Archives Canada
Dompierre, Stéphane, 1970-
Corax
(L'orphéon)
ISBN 978-2-89649-419-4
I. Titre.
PS8557.O495C67 2012 C843'.6 C2012-941915-X
PS9557.O495C67 2012

Distributeur :
LES MESSAGERIES ADP*
2315, rue de la Province
Longueuil (Québec) J4G 1G4
Tél. : 450 640-1234
Téléc. : 450 674-6237
*filiale du Groupe Sogides inc.,
filiale de Québecor Média inc.

Pour en savoir davantage sur nos publications, visitez notre site : editionsvlb.com
Autres sites à visiter : editionshexagone.com • editionstypo.com

Dépôt légal : 4e trimestre 2012
Bibliothèque et Archives nationales du Québec, 2012
Bibliothèque et Archives Canada

ISBN 978-2-89649-419-4

VLB éditeur bénéficie du soutien de la Société de développement des entreprises culturelles du Québec (SODEC) pour son programme d'édition.
Gouvernement du Québec – Programme de crédit d'impôt pour l'édition de livres – Gestion SODEC.
Nous reconnaissons l'aide financière du gouvernement du Canada par l'entremise du Fonds du livre du Canada pour nos activités d'édition.
Nous remercions le Conseil des Arts du Canada de l'aide accordée à notre programme de publication.

# CORAX

## Du même auteur

*Stigmates et BBQ*, Montréal, Québec Amérique, 2011.
*Jeunauteur*, tome 2. *Gloire et crachats*, avec Pascal Girard, Montréal, Québec Amérique, 2010.
*Morlante*, Montréal, Coups de tête, 2009.
*Jeunauteur*, tome 1. *Souffrir pour écrire*, avec Pascal Girard, Montréal, Québec Amérique, 2008.
*Mal élevé*, Montréal, Québec Amérique, 2007.
*Un petit pas pour l'homme*, Montréal, Québec Amérique, 2004.

## Dans la même série

Roxanne Bouchard, *Crématorium Circus*.
Geneviève Jannelle, *Odorama*.
Véronique Marcotte, *Coïts* (à paraître en janvier 2013).
Patrick Senécal, *Quinze minutes* (à paraître en janvier 2013).

*Stéphane Dompierre*

# L'ORPHÉON

# CORAX

vlb éditeur
Une société de Québecor Média

*À Emily, qui m'évite d'être un fantôme*

« Sur leur dos il y avait des dessins en pointillé qui étaient des cartes du monde en son devenir. Des cartes et des labyrinthes. D'une chose qu'on ne pourrait pas refaire. Ni réparer. Dans les vals profonds qu'elles habitaient toutes les choses étaient plus anciennes que l'homme et leur murmure était de mystère. »

Cormac McCarthy, *La route.*

De petites mains griffues, froides et moites, me comprimaient la gorge.

Des mains d'enfant.

Je me suis réveillé en sursaut alors que je tentais à la fois de crier et d'aspirer une grande bouffée d'air. Le cœur me débattait. Mon t-shirt et mon pantalon de pyjama étaient humides de sueur. Un cauchemar. J'ai rajusté mes lunettes, avec lesquelles je m'étais endormi, et j'ai balayé mon environnement du regard, pas encore habitué d'être de retour chez moi.

Sur l'écran de soixante-cinq pouces, les Télétubbies m'envoyaient la main en disant « bye-bye », chacun leur tour, plusieurs fois de suite. C'était interminable et, après avoir recouvré mes esprits, j'ai tâtonné à la recherche de la télécommande dans l'espoir de leur fermer la trappe. J'étais sur le sofa dans une posture peu confortable. Couché sur le côté, enroulé dans une grande couverture, je n'arrivais pas à toucher la table, censée se trouver à ma droite. Je me suis soulevé pour mieux voir ce que je faisais. La table basse était hors de ma portée. N'eussent été les mascottes qui n'en finissaient plus de saluer, j'aurais laissé tomber et je me serais rendormi. Je me suis extirpé de la couverture pour aller prendre la télécommande. La quiétude est revenue quand j'ai appuyé sur *off*.

Je me suis gratté le menton. Un peu confus.

Je ne me souvenais pas d'avoir éloigné cette table du sofa. J'ai ramassé le bol à pop-corn et ma coupe de vin pour les rincer à la cuisine sans plus tenter de comprendre. J'arrivais de Londres où j'avais passé un mois et, fatigue et décalage horaire aidant, je savais que je ne retrouverais pas tout à fait l'usage de mes neurones avant le deuxième café. J'ai bu un espresso en vitesse et je suis allé directement sous la douche, en me donnant congé de Pilates et de machine elliptique.

Ma barbe de cinq, six ou je ne sais combien de jours me piquait, alors, après mon déjeuner et le deuxième café, je me suis rasé en prenant mon temps, au rasoir manuel, avec une riche crème à l'aloès. Il était près de dix heures et personne ne m'attendait. C'est le matin que j'apprécie pleinement ma nouvelle vie. Il y a un peu plus d'un an, ma routine du réveil se faisait à la hâte. Je me labourais le visage au rasoir électrique en buvant un jus d'orange, je mangeais une rôtie en enfilant une chemise froissée, je descendais l'escalier d'un appartement délabré deux marches à la fois en espérant que mon autobus n'ait pas de retard, tout ça pour être accueilli au bureau de poste par mon patron qui tapotait sa montre en grimaçant de sa sale gueule de *pug* mal lavé. J'ai travaillé comme postier quelques années et, à trente-trois ans, j'ai gagné à la loterie. Trente-trois millions.

Le trois, le huit, le dix-neuf, le vingt-quatre, le vingt-six et le trente-quatre. Un billet acheté dans un dépanneur parce que je voulais payer avec ma carte de débit et que je n'avais pas le montant minimum d'achat requis. Je m'étais emparé d'une grille à remplir et j'avais coché n'importe quoi. Six chiffres choisis au hasard qui ont changé ma vie.

C'est mon patron qui avait été le premier à apprendre la nouvelle, par un bref courriel où je l'envoyais chier. Par conséquent, j'avais préféré ne pas retourner au bureau une dernière fois pour saluer les collègues. De toute façon, je n'y avais pas vraiment d'amis ; lorsqu'on m'invitait à un cinq à sept chez l'un ou chez l'autre c'était surtout par politesse, pour éviter de créer un malaise. Et sûrement que mon entêtement à refuser de participer à leur achat de billets de loterie en groupe leur était resté sur le cœur. Mais bon. Une fois remis de leur choc, ils allaient vite m'oublier, je le savais. Il est fort probable qu'aujourd'hui ils ne se souviennent déjà plus de mon nom. « Comment il s'appelait, l'ingrat qui est parti avec ses millions sans nous donner le moindre sou ? Luc ? Alain ? Claude ? » Louis.

Le téléphone a sonné au moment où je me brossais les dents. J'ai récupéré l'appareil sur le comptoir de la cuisine et, la brosse à la bouche, sans aucune intention de répondre, j'ai regardé qui c'était. L'afficheur indiquait « numéro privé ». Si c'était chaque fois la même personne, cet infatigable inconnu m'avait appelé au moins cinq fois depuis mon retour d'Angleterre. J'ai haussé les épaules et je suis retourné à la salle de bain en ramassant machinalement un bout de papier froissé qui traînait par terre devant la porte. J'ai craché dans le lavabo et me suis rincé la bouche avant de l'examiner. C'était un oiseau en origami fait de papier jaune. Un corbeau, peut-être. Un pliage assez complexe et plutôt réussi.

Comment ce corbeau avait pu se retrouver là, je n'en avais pas la moindre idée. La richesse ne m'a pas rendu sociable ; les rares personnes que je laisse entrer chez moi sont la femme de ménage, la massothérapeute, les employés du service de traiteur et quelques escortes. Tous des gens qui, quand ils me visitent, ont les mains occupées à bien d'autres choses qu'à créer des oiseaux en origami. Je l'ai posé sur une tablette de la bibliothèque et j'ai cherché de quoi lire. J'ai choisi de m'attaquer au premier tome de la trilogie *Millenium* de Stieg Larsson, qui saurait bien m'occuper pour une semaine ou deux. Et puis, tiens, ensuite, pourquoi n'irais-je pas visiter la Suède, là où se déroule l'histoire ? Ce sont souvent mes lectures qui décident de mes prochains voyages.

Je suis passé en vitesse au café dépanneur en bas de l'immeuble et me suis échoué sur le sofa avec le roman et les journaux du jour, résolu à ne pas bouger jusqu'au dîner. Le téléphone a sonné et je me suis contenté de lui envoyer un doigt d'honneur sans lever les yeux de mon livre.

* * *

C'est à midi pile que le téléphone a sonné de nouveau. L'heure que mes parents choisissent habituellement pour se manifester et me souligner que je ne les appelle pas souvent. Selon eux, les gens sans travail ne se lèvent jamais plus tôt, occupés qu'ils sont à récupérer de leur brosse de la veille. Mes parents, qui se plaisent à juger mes moindres faits et gestes, m'en veulent d'avoir coupé les ponts avec eux depuis que je suis en possession d'une fortune. La vérité, c'est que j'avais coupé les ponts bien avant, mais personne n'avait remarqué. C'est depuis peu qu'ils prennent le téléphone pour tenter un rapprochement et, par la même occasion, qu'ils essaient de me faire sentir coupable de les négliger. Les liens que j'avais encore avec eux ces dernières années se limitaient à quelques visites par année : à leur anniversaire de mariage, à Noël, à Pâques, et pour leurs fêtes. Guillaume et Francis, mes deux frères, les visitent souvent. Ils sont des modèles de réussite avec leurs boulots stimulants, leurs femmes aimantes et leurs beaux enfants. Ce n'est pas trente-trois millions de dollars en poche qui m'empêche d'avoir le rôle du célibataire déglingué, incapable d'avoir une vie stable ou de l'ambition. Dans ma famille, il est bien vu de monter les échelons sociaux en marchant sur quelques têtes au passage. Mes frères, aussi compétitifs l'un que l'autre, cherchent plus ou moins consciemment à se ravir la première place dans le cœur de mes parents. C'est infantile et risible et, n'ayant aucun esprit de compétition, je leur laisse le champ libre sans leur causer préjudice. L'argent que j'ai donné à mon père et à ma mère ne les a pas rendus plus affectueux à mon égard, seulement plus enclins à garder le contact pour s'assurer que je vais bien. Ils pensent que j'ai une vie triste parce que je suis solitaire, et que l'argent me pourrit l'existence.

Alors qu'on voue un culte à l'individualisme, on accepte mal les gens qui aiment être seuls. Il faut dire que la solitude est un luxe que peu de personnes peuvent s'offrir : devoir gagner sa vie vous oblige à côtoyer les autres et à vous en faire aimer. Avoir une blonde et des enfants vous contraint à toutes sortes d'activités sociales avec la belle-famille ou avec d'autres parents. Être seul, riche et sans travail ne vous oblige à rien. Et ça vous rend antipathique. J'en ignore la raison. J'ai été généreux avec mes parents et avec mes deux frères, j'ai donné de belles sommes d'argent aux locataires du cinquième étage que j'ai dû expulser pour y faire bâtir mon loft, je donne régulièrement à des organismes de charité, mais ma famille persiste à me juger avec dédain. Qu'on fasse le bien sans effort ne les émeut pas. La fortune qui s'acquiert petit à petit est noble, même si elle se bâtit en étant aux commandes d'une compagnie qui détruit l'environnement ou qui exploite des travailleurs dont on dispose comme bon nous semble pour améliorer le rendement. La fortune qui s'acquiert en choisissant les bons numéros à la loterie ne vous vaudra que des regards méprisants. Et après on se demande pourquoi j'apprécie tant la solitude.

On cherche rarement ma compagnie et je n'insiste pas. Je perds vite mon intérêt quand on m'invite dans les soupers où des amis d'amis que je connais à peine passent la soirée à me parler de la météo ou du prix de l'essence. Je tombe dans la lune ou j'essaie de me changer les idées, en palpant une plante pour voir si elle est fausse, en faisant des petites montagnes avec des miettes de pain ou en imaginant de quoi auraient l'air mes hôtes flambant nus ou maquillés en clowns. N'importe quoi pour m'évader d'une conversation fastidieuse. Je m'absente souvent pour aller aux toilettes même si je n'en ai pas besoin et je passe de longues minutes devant les photos de famille et les tableaux accrochés aux murs. Dans ce genre de soirée, je suis toujours le dernier arrivé et le premier parti. La solitude me convient très bien.

Mes journées s'écoulent lentement, sans pression ni soucis. Je commence par un café au lait et un déjeuner léger, puis j'embarque sur l'elliptique pendant une trentaine de minutes. Je fais ensuite un peu de Pilates et je file sous la douche à jets multiples. Je sirote un autre café en lisant les journaux sur la terrasse, au soleil quand il fait beau, et sur la partie couverte et chauffée quand il pleut. Les journaux, c'est la façon que j'ai de prendre des nouvelles du monde qui m'entoure sans avoir à m'y mêler. On s'étonne que je ne cherche pas la compagnie d'autrui alors que, dans les médias, autrui est habituellement dépeint sous son plus mauvais jour : menteur, manipulateur, mesquin, intimidateur, égocentrique et malpoli. Je ne manque rien quand je passe un mois à relire tout Cormac McCarthy ou une semaine à revoir l'intégrale de Stanley Kubrick. Je me questionne, d'ailleurs : qui d'autre que les millionnaires qui ne travaillent pas et les retraités ont le temps de lire des briques comme *Les bienveillantes* ou *La trilogie berlinoise* ?

Aucune sonnerie d'alerte n'indiquait que j'avais un nouveau message. Si c'étaient mes parents qui venaient d'appeler, ils n'avaient laissé aucun de leurs reproches habituels dans ma boîte vocale. Ça m'a intrigué. J'ai mis un parmentier de canard congelé au micro-ondes, puis j'ai ramassé mon téléphone pour voir qui c'était. Les derniers appels reçus provenaient d'un numéro privé. Ce n'était donc pas mes parents. Sans doute un appel informatisé d'un service de nettoyage de tapis, ou encore un journaliste qui voulait écrire un article du genre « Qu'est devenu Louis Corax ? Presque un an après avoir gagné à la loterie, il nous invite chez lui. Entrevue exclusive. Six pages de photos. »

Dans un cas comme dans l'autre, j'aurais décliné l'invitation.

Ça faisait longtemps que je n'avais pas eu autant d'appels dans une journée et la sonnerie de mon cellulaire, qui imitait celle des anciens téléphones à roulette, commençait à me taper sur les nerfs. J'ai posé l'appareil sur le comptoir de la cuisine et j'ai noté quelques trucs à acheter. « Pain, eau, papier cul. » J'ai pris la feuille du bloc-notes et c'est en la pliant pour la mettre dans ma poche que je me suis rendu compte qu'elle était jaune comme le corbeau. Je suis retourné le chercher dans ma bibliothèque, près du lit.

Il n'était pas où je me souvenais de l'avoir mis et, perplexe, j'ai jeté un rapide coup d'œil sur les autres tablettes puis par terre et sous le lit, pensant que j'avais dû l'accrocher en prenant le livre de Stieg Larsson. Il n'y était pas. J'ai regardé du côté de la salle de bain, où je l'avais trouvé la première fois. Il y avait un truc jaune posé par terre devant la porte. La sonnerie du four à micro-ondes a retenti pour m'informer que mon repas était chaud mais je n'y ai pas prêté attention, occupé que j'étais à m'approcher prudemment du corbeau de papier, comme si c'était un petit animal farouche. J'ai pouffé de rire devant l'absurdité de la situation. Croyais-je vraiment qu'il allait me sauter au visage ?

Je l'ai posé dans ma main et je l'ai déplié pour le comparer à la feuille jaune dans ma poche. Ça venait du même bloc-notes. Quelqu'un avait donc pris le temps de bricoler ce corbeau en papier chez moi. La femme de ménage, sans doute. Le petit désordre d'avant mon départ pour Londres avait été rangé, elle était donc passée pendant mon absence, comme je le lui avais demandé. Je ne voyais pas qui ça pouvait être d'autre.

Mais je ne comprenais pas comment l'oiseau en origami était revenu devant la salle de bain.

Devant un événement étrange, il y a deux types de réactions : certaines personnes y voient tout de suite un phénomène paranormal, sans même chercher d'explication rationnelle. Les autres, comme moi, ne fonctionnent qu'avec la logique. J'avais dû accrocher par inadvertance le corbeau dans une maille de mon chandail en le déposant dans la bibliothèque et, hasard, il était retombé devant la salle de bain, exactement où je l'avais trouvé. Cette explication me satisfaisait. Le travail de la femme de ménage était toujours impeccable, alors je n'allais sûrement pas lui reprocher de prendre des pauses si elle le souhaitait, en s'adonnant à l'origami, aux sudokus ou à ce qu'elle voudrait. Elle pouvait bien se détendre dans la baignoire ou bronzer nue sur la terrasse si ça lui chantait, pourvu que le ménage soit fait. J'ai froissé le volatile et je l'ai jeté dans la cuvette des toilettes, puis j'ai tiré la chasse pour le regarder partir.

J'ai mangé dehors pour profiter du soleil. Il avait plu presque tous les jours lorsque j'étais à Londres, avec une assommante régularité, et les longues heures d'ensoleillement dont je jouissais sur ma terrasse m'avaient manqué.

***

L'étrangeté de la chose ne m'est pas apparue tout de suite, pas pendant que je fouillais avec ma main droite dans la poche gauche de mes jeans à la recherche de mes clés. J'avais dans les bras un paquet de seize rouleaux de papier hygiénique, une baguette et deux grandes bouteilles de San Pellegrino et je tentais de ne rien échapper. Voyant que jongler avec mes emplettes ne me ferait pas gagner de temps, je me suis décidé à les poser par terre. C'est à ce moment que j'ai porté mon attention sur la musique qui jouait. Ça ne venait pas du corridor et, comme j'occupais l'étage en entier, ça ne pouvait provenir que de chez moi. Je me suis rapproché de ma porte pour mieux entendre. C'était si fort que je pouvais reconnaître l'*Ave Maria* de Schubert. Je me souvenais bien d'avoir acheté le fichier MP3 sur iTunes, un hiver où le manque de lumière m'avait conduit à une déprime saisonnière. J'étais resté affalé sur le sofa à écouter la musique classique la plus mélancolique que je pouvais trouver et à m'empiffrer de crème glacée à la pâte à biscuits. Une bonne lampe de luminothérapie avait réglé le problème.

Selon toute vraisemblance, il y avait un amateur de Schubert dans mon appartement.

Et je ne l'avais pas invité.

Je ne voyais pas comment il était possible d'entrer chez moi en mon absence. J'avais des doubles de la clé, évidemment, mais ils étaient dans un tiroir de la cuisine. Sinon, il y avait celle que je tenais à la main, accrochée à mon porte-clés Tintin, puis une autre dans un coffret de sécurité à la banque. La femme qui faisait l'entretien ménager en possédait une aussi, mais elle n'était censée venir chez moi que le lendemain.

La porte n'affichait aucune trace d'effraction. J'habite au cinquième étage et il n'y a aucun accès par la terrasse. L'issue de secours se bloque de l'intérieur par une lourde tige de métal.

J'ai pris une grande inspiration en tentant de rationaliser l'événement. C'était sans doute mon MacBook qui déconnait, la télécommande des voisins d'en dessous avait activé le lecteur de MP3 qui s'était mis à cracher du Schubert en boucle, pendant mon absence, sur les seize haut-parleurs du loft. Voilà, voilà, voilà. Rien d'inquiétant. Je ne connaissais pas grand-chose à l'ABC du cambriolage, mais assez pour savoir que la discrétion était un incontournable. Cette explication plausible m'a donné le courage d'ouvrir la porte d'une main, une bouteille d'eau pétillante en guise d'arme dans l'autre.

À première vue il n'y avait personne, même si la musique emplissait l'espace telle une présence humaine. Le système d'alarme fonctionnait normalement. Je l'ai désactivé. Dans l'entrée, j'embrassais du regard le loft presque en entier. La penderie, tout de suite à ma droite. Ensuite le lit, près de la bibliothèque qui couvrait la moitié du mur du fond, jusqu'au bureau de travail. Le salon juste devant et, plus loin, le coin qui faisait auparavant partie de la terrasse mais qui était maintenant aménagé en espace de gym avec mon elliptique, mon tapis d'exercice, mon ballon de Pilates et quelques petits haltères adaptés à mes petits muscles. À ma gauche, les deux seules pièces fermées : le débarras et la salle de bain. Après avoir éteint la musique, je suis entré dans le débarras. Le désordre n'avait pas changé de place. J'ai inspecté la salle de bain. Personne de caché dans la douche, ni dans le fond de la grande baignoire. Je suis ressorti en me grattant le front, perplexe mais soulagé. J'ai déplacé ma valise, qui me bloquait le passage pour ouvrir la penderie. Personne dedans. J'avais retrouvé mon calme, mais je ne pouvais chasser cette désagréable impression que mon intimité avait été violée. J'ai posé la bouteille sur la table de la salle à manger et j'ai inspecté les recoins où un voleur aurait pu se réfugier à la hâte : sous le comptoir de cuisine, derrière un des deux sofas, sous le lit, rien. Les grandes portes vitrées qui menaient à la terrasse étaient verrouillées de l'intérieur.

Pas d'intrus.

On ne semblait pas m'avoir volé non plus. Certes, mes tableaux de Vince et de Yuji Karasu, de par leur taille, étaient difficiles à transporter, mais un voleur s'y connaissant un peu se serait sûrement emparé de mes petits originaux de Mark Ryden ou de Marion Peck. Même la liasse de livres sterling que j'avais laissé traîner sur mon bureau depuis mon retour d'Angleterre était intacte.

Mon téléphone a sonné et vibré dans la poche de mes jeans et j'ai sursauté comme si j'avais vu un monstre. J'ai regardé qui appelait et j'ai coupé la sonnerie, m'en voulant d'avoir eu si peur pour rien. Encore un numéro privé. J'ai ouvert un pinot gris et je m'en suis versé un grand verre. Je suis allé le siroter sur la terrasse en lisant mon livre, pour tenter de me calmer les nerfs et pour laisser le temps à un voleur, s'il y en avait un, de sortir de son improbable cachette et de filer en douce sans avoir à m'égorger.

J'avais toutes les difficultés du monde à me concentrer sur ma lecture sans constamment regarder dans le loft.

Alcool aidant – j'étais retourné chercher la bouteille et un seau à glace –, j'ai fini par retrouver mon calme et j'ai passé le reste de la journée dans le confort anesthésiant qui était mon quotidien depuis que j'étais millionnaire.

* * *

C'est la faim qui m'a fait rentrer. J'ai mis de l'eau à bouillir et j'ai vidé un pot de sauce tomate dans une casserole. J'ai beurré un morceau de baguette et je l'ai mangé par petites bouchées en arpentant le loft. Aucune figurine de papier devant la salle de bain. Aucun nouvel appel. Tout m'a paru normal. J'étais pompette et presque détendu. Au moins assez pour remettre la sonnerie de mon téléphone. Je suis solitaire mais pas sauvage, et il m'arrive d'avoir envie de répondre. Je passe alors quelques minutes à écouter d'une oreille bienveillante un ami ou un autre me parler de son boulot qui l'ennuie, de son couple qui bat de l'aile ou de son impression malsaine que le meilleur est déjà derrière lui. C'est tout de même préférable aux interminables soupers de groupe.

Mais, à choisir, je préfère n'avoir de nouvelles de personne et regarder des séries télévisées. C'est d'ailleurs ce que j'ai fait de ma soirée : j'ai mangé mes pâtes devant la dernière saison de *Dexter* et je n'ai pas quitté le sofa, sinon pour quelques passages rapides à la salle de bain ou à la cuisine afin de rincer mon bol et de me ramasser un pouding au chocolat et une cuillère. En fin de soirée, j'ai lu jusqu'à ce que mon livre me tombe des mains.

La sonnette de l'entrée m'a réveillé. Je me suis redressé, confus, et il m'a fallu quelques secondes pour comprendre que je m'étais encore endormi sur le sofa. Mon livre traînait par terre. J'ai cru un moment avoir rêvé ; l'horloge de la cuisine indiquait trois heures vingt-six. Qui viendrait sonner chez moi au milieu de la nuit ? Je n'avais pas envie d'aller voir. Les gens qui me connaissent savent que je préfère qu'ils m'informent de leur arrivée par l'interphone du rez-de-chaussée avant de monter. C'était probablement un fêtard éméché qui était sorti d'un bar sans conquête et qui voulait les services d'une des escortes du deuxième étage. J'ai éteint les quelques lumières encore allumées et je me suis dirigé vers mon lit, guidé par la clarté du dehors qui entrait par les grandes fenêtres. Je ferme rarement les rideaux au complet, je n'ai jamais aimé dormir dans la noirceur totale. Probablement un traumatisme d'enfance que je n'arrive pas à me rappeler.

On a sonné à nouveau.

C'était un bruit étrange. La sonnerie ne débutait pas franchement mais à faible volume, avec un grésillement, avant de retrouver sa puissance habituelle. Ça ressemblait à une défaillance électrique, ce qui était beaucoup plus probable qu'un visiteur nocturne. Je restais tout de même là, figé, incapable de prendre une décision, coincé entre l'envie de me rendormir et celle d'aller voir ce que c'était. On ne m'a pas laissé le choix : la sonnerie a retenti une fois de plus, et le son était ininterrompu, comme si quelqu'un maintenait son doigt sur le bouton. Confus et à bout de patience, je me suis approché de la porte et j'ai regardé par l'œil-de-bœuf. Le miroir grand-angle fixé sur le mur en face me permet de voir le corridor en entier des deux côtés. À droite, la fenêtre et la porte du monte-charge. À gauche, l'ascenseur et la porte menant à l'escalier de secours. Je l'aurais vu s'il y avait quelqu'un, même s'il s'était roulé en boule sur mon tapis d'entrée ou blotti dans un coin sombre.

Or, il n'y avait personne. Et la sonnette semblait ne jamais vouloir se taire.

J'ai ouvert et j'ai avancé la tête avec prudence pour examiner le corridor. Vide. Aucun escroc armé et cagoulé ne s'est jeté sur moi en montrant les dents. J'ai actionné le bouton de la sonnette pour tenter de la faire taire, sans succès. Quelques coups de poing n'ont rien donné non plus. J'ai ouvert le coffre à outils dans la pièce à débarras pour y pêcher un tournevis et j'ai retiré la plaque de la sonnette aussi vite que j'ai pu. J'ai terminé le travail en tirant un bon coup, laissant deux fils électriques pendre dans le vide. C'était du travail bâclé, mais au moins ça ne sonnait plus. J'avais le cœur qui battait trop vite et les jambes molles.

J'ai jeté la pièce de métal par terre dans le loft et j'ai verrouillé derrière moi. J'ai replacé le tournevis dans le coffre et, puisque j'étais bien réveillé, j'ai pris le temps de me brosser les dents avant de me mettre au lit. Je doutais d'être capable de me rendormir, mais j'avais envie d'essayer. J'ai commencé par respirer lentement, assis sur le lit, pour retrouver mon calme. Au bout de quelques minutes, après m'être déshabillé, je me suis glissé sous la couette. Je n'aimais pas ce silence opaque et, même si je savais que c'était désormais impossible, j'appréhendais un autre coup de sonnette, qui, cette fois, m'aurait sans doute fait hurler.

J'étais attentif au moindre bruit, les sens en alerte, mais, fatigue aidant, j'ai tout de même réussi à me rendormir.

* * *

*Time for tubby, bye bye !*
*Time for tubby, bye bye !*
*Time for tubby, bye bye !*
*Bye bye, Tinky Winky !*
*Bye bye !*
*Bye bye, Dipsy !*
*Bye bye !*
*Bye bye, Laa-Laa !*
*Bye bye !*
*Bye bye, Po !*
*Bye bye !*

Huit heures vingt-six. La télé jouait à plein volume. Je me suis levé en catastrophe pour aller voir ce qui se passait. Je n'avais jamais remarqué avant à quel point les Télétubbies, avec leurs visages blêmes et leurs petits yeux morts, sont sinistres. Et leur ami soleil qui rit pour rien n'aide pas à soulager le malaise.

Surtout quand c'est le premier truc que vous voyez en vous réveillant le matin, et que l'émission vous provient d'un téléviseur qui s'allume sans cause apparente.

J'ai retrouvé la télécommande sur le sofa, caché entre deux magazines *Esquire,* et j'ai fouillé dans les paramètres du téléviseur pour m'assurer que je ne l'avais pas programmé par erreur pour qu'il s'allume chaque matin. Pourtant non.

C'était une très mauvaise façon de se réveiller et j'avais besoin de me calmer les nerfs. Après avoir mangé un bol de céréales, j'ai enfilé des vêtements de sport et j'ai grimpé sur mon elliptique avec du Skrillex à plein volume dans mon iPod. Pendant trente minutes, j'ai skié sur place sans penser à rien d'autre qu'à garder la cadence et à rentrer le ventre.

En préparant le café, sans hâte, alors que je retrouvais peu à peu mon rythme cardiaque normal, j'ai conclu que tout ceci n'avait rien de surnaturel, que ça devait être un problème dans le câblage électrique du loft. Un court-circuit, ou que sais-je encore. Un électricien pourrait m'arranger ça sans problème.

C'est en me rendant à la salle de bain pour aller sous la douche que j'ai changé d'avis. Par terre, devant la porte, m'attendait un petit lézard en origami.

Cette fois, je ne trouvais pas d'explication simple et rationnelle. L'humain a souvent la fâcheuse habitude de se laisser aller à croire n'importe quoi, à abandonner tout esprit logique pour basculer dans le folklore. Il veut comprendre, et tant pis si la seule solution qui lui vient en tête est la présence d'un fantôme, d'un ange ou d'un loup-garou. Je ne savais plus quoi penser de tout ça mais une chose était certaine, tangible et vérifiable : il y avait des animaux en origami qui apparaissaient chez moi. Ils étaient là, quand bien même je ne trouverais aucune explication.

Hop, un autre animal que j'ai fait disparaître dans la cuvette des toilettes.

J'ai vérifié la porte d'entrée. Et ensuite la sortie de secours, qu'il était impossible d'ouvrir de l'extérieur. De ma terrasse, je me suis penché pour inspecter les murs. Personne n'y avait installé d'échelle ou quoi que ce soit permettant d'atteindre mon étage. Grimper en s'accrochant aux briques était impensable.

J'ai pris mes clés pour aller inspecter le toit. La porte pour y accéder, par l'escalier de secours, ne présentait aucun signe d'effraction. Sur le toit, tout était normal. Aucune trace de présence humaine, à part un cerf-volant décoloré par le soleil, coincé sous un petit tas de gravier. Une pieuvre ? Une méduse ? Je l'ai poussé du pied pour mieux voir. Un fantôme.

Je me suis approché du vide, côté nord, où, juste en dessous, il y avait ma terrasse. J'ai cherché des empreintes ou un indice quelconque sur le muret recouvert d'aluminium, mais rien n'avait déplacé la poussière, la saleté accumulée et les fientes de pigeon. Si quelqu'un était passé par le toit pour rentrer chez moi, il lui avait fallu sauter dans le vide pardessus la corniche et ensuite revenir par en arrière. Impossible.

Un coup de vent dans mon dos m'a fait sortir de mes pensées. Je me suis senti poussé vers le vide et, pris de vertige, j'ai tenté de retrouver l'équilibre en agitant les bras. Ça n'a pas fonctionné. J'ai plié les jambes et je me suis laissé tomber par terre, les genoux sur le gravier, les deux mains accrochées au muret, et j'ai poussé un cri de douleur. Je me suis vite reculé pour m'éloigner du bord. Je suis resté là un moment à reprendre mon souffle, en me trouvant idiot d'avoir failli mourir d'une façon aussi absurde. En retrouvant mon corps désarticulé sur le trottoir on aurait pensé à un suicide, et on se serait demandé pourquoi on veut se tuer alors qu'on est jeune, riche et en santé. Le mystère aurait persisté longtemps, et je doute que quelqu'un aurait un jour trouvé l'explication juste. « Il est allé sur le toit pour voir s'il n'y avait pas quelqu'un qui était passé par là pour aller déposer des animaux en origami devant la porte de sa salle de bain. Et puis hop, un coup de vent et il est mort. »

Je me suis relevé et je suis rentré en boitant.

De retour dans le loft, j'ai pris conscience que je commençais à être obsédé par le moindre détail : avais-je éteint cette lumière en sortant ? Avais-je laissé cette penderie ouverte ? Ce linge à vaisselle était-il là où je l'avais déposé ? Comment pouvais-je être certain que rien n'avait bougé ? Pour me calmer, j'y suis allé par déduction : si j'étais un fantôme, disons, il ne servirait à rien de me manifester sans que personne en soit témoin. Les fantômes, si je me fie à ceux que j'ai vus dans les films, font bouger des trucs pour communiquer avec les humains. À quoi bon déplacer des objets s'il n'y a personne dans les parages ? Alors voilà. C'était tout simple. S'il y avait un fantôme qui tentait de communiquer avec moi, j'attendrais qu'il s'exprime plus clairement avant de lui adresser la parole.

Cette pensée m'a fait pouffer de rire. J'étais de meilleure humeur qu'au réveil. L'air frais et le fait de frôler la mort m'avaient fouetté le sang. J'ai mis de la musique sur mon ordinateur, en mode de lecture aléatoire, et j'ai ouvert ma valise pour en sortir les vêtements à laver. J'ai ramassé tout ça en une grosse boule compacte et je me suis rendu dans la pièce à débarras sans rien échapper. J'ai mis les vêtements dans la laveuse et, au passage, j'ai reniflé une de mes chemises blanches pour voir si Londres avait une odeur particulière. Rien de frappant. C'était plutôt la pièce qui dégageait une drôle d'odeur de fruit fermenté ; un peu comme si on avait mangé une pomme pour ensuite laisser le cœur traîner sur un comptoir. Ça devait venir d'en dessous, de chez les étranges voisins du crématorium Le Phénix. Le loft était remarquablement bien isolé contre les bruits de l'extérieur, mais les odeurs voyageaient sans difficulté.

J'ai mis du savon et j'ai appuyé sur *start*, puis je suis allé changer la sélection de mon lecteur de MP3. La fonction aléatoire avait eu la mauvaise idée de choisir l'*Ave Maria* de Schubert.

J'ai écouté quelques chansons, le temps de ranger le reste des choses que j'avais apportées en voyage. J'ai ramassé mes sacs pour aller à l'épicerie. Le jour où vient la femme de ménage, j'ai l'habitude de dîner au resto et de faire mes courses pour la laisser faire son travail sans qu'elle m'ait dans les pattes. Et puis rester chez moi à la regarder nettoyer me met toujours mal à l'aise. Ça me fait sentir bourgeois et paresseux. Ce que je suis peut-être, mais ce n'est pas une raison pour me mettre dans des situations qui me le rappellent.

J'allais sortir quand le téléphone a sonné. C'était elle.

— Bonjour, monsieur Corax, c'est Solange Bourque. J'espère que vous allez bien. J'appelais pour vous dire que je viendrai pas.

— Bonjour, Solange ! Il y a aucun problème. De toute façon, j'ai vu que vous êtes passée une fois pendant mon absence et tout est encore d'une propreté impeccable !

— Oui, non. Je me suis mal exprimée. Ce que je veux dire, c'est que je viendrai plus chez vous. Jamais.

— Ah bon ? Euh ? Il y a un problème ? Si c'est une question d'argent, on peut négocier une augmentation !

— Non, non. C'est gentil, mais c'est pas ça, le problème. J'aimerais mieux pas en parler.

— Écoutez... J'ai pas trop le choix d'accepter votre décision, mais j'aimerais au moins savoir pourquoi vous refusez de revenir chez moi.

— C'est que... je comprends pas vraiment ce qui s'est passé, alors j'aime mieux me taire.

— Il s'est passé quelque chose pendant mon absence ?

Elle a laissé un long temps de silence et elle a pris une grande respiration avant de me répondre, comme si elle allait m'avouer un secret dont elle avait honte.

— Il se passe des drôles d'affaires dans votre appartement.

Je ne m'attendais pas vraiment à une réponse de ce genre. Ça m'a donné un frisson dans le dos. La gorge sèche, j'ai attendu les détails.

— Une présence.

— Une présence ?

— Oui. Je sais pas comment vous l'expliquer autrement. Je me sentais observée. Il y avait un genre d'ombre qui se déplaçait dans mon dos, que j'arrivais parfois à voir du coin de l'œil... Comme une silhouette noire.

— Une silhouette noire...

J'aurais aimé être plus volubile, mais j'étais trop stupéfait pour faire autre chose que répéter bêtement ce qu'elle me disait.

—Je sais que ça peut avoir l'air idiot. Je comprends. Je suis désolée, monsieur Corax. Il faut que je raccroche, maintenant.

—Je veux juste savoir une chose. Quand est-ce que vous avez commencé à sentir la « présence » ?

— La dernière fois, quand je suis passée il y a deux semaines. Votre appartement était différent. Plus froid. Plus sombre.

— Et il y avait une silhouette noire.

— Oui. Je pensais que je rêvais, que j'avais un problème aux yeux à cause de la fatigue... même si ça me fait pas ça en temps normal. Mais il s'est mis à y avoir des drôles de bruits, alors j'ai ramassé mes affaires et je suis partie.

— Pendant que j'y pense... Auriez-vous trouvé des animaux en origami ?

— Des quoi ?

— Vous savez... C'est japonais... Des petits animaux qu'on fabrique en pliant des feuilles de papier...

—J'ai pas remarqué. Seulement une silhouette noire. Je suis désolée. Je vais vous retourner vos clés par la poste. Si vous appelez l'agence, ils trouveront sûrement quelqu'un très vite. Demandez à ce que ce soit un homme, peut-être. Le mieux, ce serait qu'ils viennent à deux. Personne devrait être seul chez vous.

— Bon ben, merci... Je vais leur dire ça.

—Je dois y aller... désolée encore.

— Il y a pas de quoi, madame Bourque.

Elle a raccroché avant moi et je suis resté debout, le téléphone à la main, mes sacs d'épicerie sous le bras. Solange Bourque m'avait toujours paru saine d'esprit. Si elle avait décidé de ne plus faire l'entretien ménager chez moi, j'imagine qu'elle m'aurait donné la vraie raison, à moins que ce soit trop délicat. Je suis pourtant peu exigeant, je paie bien, je n'ai jamais tenté de la tripoter, à mon souvenir je ne lui ai jamais rien dit de déplacé ou d'offensant. Si elle avait voulu inventer une raison pour éviter de me dire la vraie, elle aurait su en trouver une plus plausible.

J'aurais vraiment préféré qu'elle trouve autre chose. J'aurais aussi aimé être capable de la rassurer. « Mais non, madame Bourque, vous avez rêvé, tout va bien ici, prenez quelques jours de repos et revenez me voir », mais les mots m'étaient restés coincés au fond de la gorge.

J'ai jeté un long regard circulaire dans le loft, sans y voir de silhouette noire. J'avais encore mon téléphone à la main quand il s'est mis à sonner. Sous le coup de la surprise, je l'ai échappé par terre. J'ai cru que c'était elle qui me rappelait, alors je l'ai ramassé et j'ai décroché.

— Oui, bonjour ?

Je n'ai rien eu d'autre que le silence en guise de réponse. L'afficheur indiquait encore une fois « numéro privé ». J'aurais dû regarder avant de répondre. Ça devait être un centre d'appel ; il arrive souvent qu'il y ait un délai de réponse, comme si le commis était occupé ailleurs pendant que son appareil composait un numéro choisi au hasard. J'ai décidé de patienter afin de pouvoir lui dire de me foutre la paix.

— Allôôôôôôô ?

Les secondes passaient lentement, et personne ne me répondait. Il m'a semblé entendre des grattements. Et une respiration. J'ai insisté, j'ai parlé plus fort, toujours rien. Patient, et puisqu'à l'autre bout ça ne raccrochait pas, je suis resté en ligne encore une minute ou deux. Ce que je croyais un bruit de respiration allait en s'accélérant, comme si c'était un enfant en crise de panique. Mon imagination s'emballait : j'ai entendu un gémissement plaintif qui m'a fait dresser les cheveux sur la tête et j'ai raccroché sans plus attendre.

Solange Bourque, avec ses histoires de fantômes, avait réussi à m'effrayer.

Katsumi tire sur le bouchon, se lève et ouvre la douche-téléphone pour se rincer et chasser la mousse de savon qui glisse dans le fond de la baignoire. Elle s'éponge avec la serviette, étend de la crème hydratante sur son corps et s'emmitoufle dans sa robe de chambre fraîchement lavée.

Tout en se brossant les dents, elle fait quelques pas dans le corridor pour s'assurer que sa fille ne fait pas de bêtises. Miya est agenouillée devant la table basse du salon, sérieuse et concentrée, occupée à choisir la bonne teinte de vert dans sa boîte de crayons de cire. L'appartement embaume encore l'odeur du repas qu'elles ont mangé devant la télé. Katsumi est née au Québec et c'est un secret qu'elle ne révélera jamais : sa soupe miso n'a rien d'une recette ancestrale héritée de ses parents. Comme à peu près tout ce qu'elle sait cuisiner, ça lui vient de la revue *Ricardo*. La croustade aux pommes vient aussi de là.

La soirée est douce et tranquille, bercée par la musique de Stan Getz et Joao Gilberto, un vieux trente-trois tours de bossa-nova que Miya choisit souvent dans la collection de disques qu'a laissée son père en partant vivre à Berlin, il y a plus de cinq ans. Il a aussi laissé quelques-unes de ses toiles, que Katsumi ne veut pas décrocher, malgré la nostalgie que leur vue lui cause. Des œuvres peintes dans un coin de l'appartement qui servait d'atelier, du temps où ils étaient une famille unie. Ces toiles sont de rares souvenirs qui relient encore Miya à son père. Ça, la pile de disques et les cartes qu'il envoie aux anniversaires. Les rares fois où il revient au pays, il est trop pris par la culpabilité pour les visiter, et Katsumi ne tient pas vraiment à ce qu'ils se revoient. Miya ne gagnerait rien à regarder une fois de plus partir son père sans savoir quand il reviendrait. Elle s'est accoutumée à le considérer comme une présence fantôme et Katsumi ne veut pas troubler l'ordre des choses. Lors des procédures de divorce, elle a aussi fait les démarches pour que Miya porte son nom de famille plutôt que celui d'un homme qu'elle connaît à peine.

Avec un père ayant travaillé toute sa vie dans les mines d'Asbestos pour ne revenir à la maison qu'une fin de semaine ou deux chaque mois, Katsumi sait que les absences sont parfois aussi lourdes à porter qu'une présence indésirable. Elle fait tout pour adoucir ce manque et rendre la vie de sa fille agréable. Elle se fait discrète lorsqu'elle a un amant et jamais elle n'en aurait invité un à l'appartement ; le jour où Katsumi osera présenter un homme à Miya, ce sera parce qu'elle l'aime. Mais, depuis sa rupture avec Yuji Karasu, peintre célèbre et père absent, elle n'est jamais retombée amoureuse.

Katsumi se rince la bouche, dépose sa brosse à dents et sort de la salle de bain en éteignant la lumière. Elle s'étend sur le sofa avec un livre d'architecture et, pendant un moment, observe sa fille qui dessine. Une petite maison dans la nature avec une cheminée qui fume, un soleil qui sourit de toutes ses dents et beaucoup, beaucoup de gazon. « Peut-être qu'on pourrait louer un chalet et passer quelques jours à la campagne », pense-t-elle, avant d'informer Miya qu'il est l'heure de se laver les dents et d'aller au lit.

Celle-ci hoche la tête, termine rapidement le coloriage de la pelouse et se rend à la salle de bain en toussant.

— Comment tu te sens, Mi ?

— Pas si pire, mais pas assez correcte pour aller à l'école demain, par exemple...

— On verra ça ! Quand t'auras fini, apporte-moi le thermomètre, qu'on sache si tu fais encore de la fièvre.

La grimace de Miya fait sourire sa mère.

— Ben voyons ! Ça prend à peine une minute !

— Ça me donne mal au cœur !

— Ça pourrait être pire, il y a une autre façon de prendre la température avec un thermomètre...

— C'est quoi ?

— On le met dans l'anus.

— Aaaaaah, maman ! T'es donc ben dégueulasse !

Katsumi éclate de rire lorsqu'elle voit Miya entrer dans la salle de bain en se tenant les fesses. Elle préfère ne pas lui en parler, mais si Miya est trop grippée pour aller à l'école, ce n'est pas une journée tranquille à flâner en pyjama qui les attend, mais bien de longues heures à patienter dans une clinique. Elle grimace et ouvre son livre d'architecture pour se changer les idées.

*Une présence.*

J'ai souri en attendant l'ascenseur. *On sent ça comment, une présence ?*

J'avais passé l'après-midi au cinéma et j'étais rentré sans me presser, après être allé à la pharmacie, à l'épicerie et à la SAQ. Je rapportais quatre gros sacs remplis de victuailles tout en me demandant si je ne devrais pas plutôt filer à New York, à Nice ou à Stockholm pour quelque temps, louer une chambre d'hôtel ou un petit appartement où les préposés à l'entretien ménager ne seraient pas terrifiés d'entrer. Mais je n'étais pas sûr que le problème se réglerait de lui-même en mon absence, d'autant plus que les phénomènes semblaient avoir débuté quand j'étais à Londres.

Le temps que l'ascenseur arrive, j'avais tranché : fuir ne servirait à rien. Je suis entré et j'ai appuyé sur le cinq.

— On me tient la porte, s'il vous plaît !

J'ai reconnu la voix autoritaire bien avant de voir qui c'était. Lisabeth, une des filles de chez Odosenss, au troisième étage et, surtout, une très bonne amie de Julianne, mon ex. Une grande blonde aux cheveux courts, corps athlétique et regard distant. Elle aurait fait une superbe louve des SS. J'avais les mains pleines, alors j'ai avancé le pied pour empêcher les portes de se refermer. Elle est entrée et m'a regardé un court instant avec son sourire froid qui, chaque fois, me faisait rentrer les couilles par en dedans. En sa présence, j'avais sans cesse de la difficulté à décoder les messages contradictoires que mon corps m'envoyait. C'était quelque part entre l'envie de presser mes lèvres sur les siennes en lui pétrissant les fesses et la crainte de voir une petite langue froide comme celles des vipères lui sortir de la bouche.

— Ça va, Louis ?

J'avais failli me tuer en chutant du toit de l'immeuble, ma femme de ménage était trop terrifiée pour revenir chez moi et j'entendais un enfant gémir dans mon téléphone. Mon début de journée avait été rude. J'avais la tête rentrée dans les épaules, le regard inquiet et les cheveux dans tous les sens à cause de mes courses faites dans la Jeep décapotée. Je devais avoir l'air d'un dingue.

— Hum. Bien, merci. Et toi ?

*Est-ce que Julianne va bien ? Est-elle toujours aussi jolie ? Est-ce qu'il lui arrive de parler de moi avec un léger trémolo nostalgique dans la voix ? Demande-t-elle de mes nouvelles ? Au troisième étage, est-ce que vous avez des fantômes et des phénomènes bizarres et des petits animaux en origami ?*

— Bien.

Je lui ai souri du mieux que j'ai pu, même si elle ne me regardait plus et paraissait perdue dans ses pensées. Elle avait le don de me mettre mal à l'aise, et pas moyen de savoir s'il y avait une tension sexuelle entre nous qui méritait d'être soulagée ou si je la laissais complètement indifférente. Pour me détendre, j'ai fait comme d'habitude : je l'ai imaginée vêtue de cuir en train de fouetter un obèse libidineux (mon frère Guillaume), attaché nu sur une roue la tête en bas. Elle m'a jeté un regard rapide avant de sortir au troisième et, intimidé et excité à la fois, je lui ai souhaité un « bonne journée » qui, faute de salive, ressemblait plutôt à un feulement d'animal malade. Elle n'a rien répondu. Je me suis retrouvé à nouveau seul.

J'ai repris mes sacs, que j'avais fini par poser par terre, et l'ascenseur s'est ouvert. J'ai commencé par avancer la tête, et tout m'a semblé normal. Pas de sang qui dégoulinait sur les murs du corridor. Aucun monstre tapi dans les coins. Je me suis rendu jusqu'à ma porte. Normal, normal, tout était parfaitement normal, mais ça ne m'empêchait pas de m'inquiéter. Je me suis penché et je n'entendais ni musique ni aucun autre bruit suspect venant de mon appartement. J'ai saisi la poignée ; la porte était toujours verrouillée. Normal. J'ai ouvert sans attendre mais, tout de même, avant d'entrer, je me suis contenté d'étirer le bras pour atteindre le système d'alarme et le désactiver. Il faisait encore jour, mais j'ai appuyé sur les trois interrupteurs pour faire davantage de lumière.

Comme si ça pouvait suffire pour me calmer les nerfs.

Pas de musique, pas d'ombre mystérieuse, pas même un animal en origami devant la salle de bain. J'ai ramassé mes emplettes et je suis entré en refermant la porte derrière moi d'un léger coup de pied. Je n'avais qu'une envie : gin tonic. À la cuisine, je me suis choisi un verre que j'ai rempli de glaçons en l'appuyant sur le distributeur du frigo, qui laissait tomber des demi-sphères dans de grands *klaklak* sonores. J'ai débouché la bouteille de gin et je m'en suis servi une bonne rasade. J'ai ajouté l'eau gazeuse que je venais d'acheter. Malgré ma fébrilité à l'idée d'en boire une gorgée, je me suis donné la peine de fouiller dans le fond des sacs pour trouver les limes. J'en ai coupé une en deux. J'ai pressé la première moitié au-dessus du verre et j'ai tranché trois minces rondelles de l'autre, pour décorer. Et puis, enfin, j'ai approché le verre de mes lèvres, d'une main ferme. Aucun tremblement. J'étais en plein contrôle de moi-même. Soupir de satisfaction.

Un bruit, dans mon dos. J'ai tout de suite reconnu le *klaklak* du distributeur de glaçons qui se mettait en marche. J'ai sursauté et mon verre m'a glissé des mains. J'ai voulu faire deux choses en même temps : le récupérer et voir ce qui se passait, si bien que je n'ai réussi qu'à me retourner à moitié et à mettre le pied sur un glaçon. En glissant, j'ai rattrapé le verre qui s'est cassé dans ma main. Les morceaux sont tombés par terre et j'ai failli les suivre l'instant d'après. J'ai évité la chute en m'accrochant au comptoir. Le distributeur crachait ses glaçons, qui tombaient sur le liquide répandu et les éclats de verre. Je me suis reculé, fasciné par ce que je voyais et, bien qu'apeuré, je me suis assuré que je ne m'étais pas coupé. J'avais une entaille dans la paume, rien de grave, mais j'ai ramassé un linge à vaisselle et je l'ai enroulé autour de ma main pour éviter de tout salir avec mon sang. Ne sachant que faire pour arrêter les glaçons qui tombaient par terre, j'ai donné un grand coup de pied sur le frigo et, dans mon élan, j'ai failli glisser à nouveau.

N'empêche, ça avait marché. La tranquillité était revenue dans le loft.

Un simple mécanisme déréglé, sans doute. C'est toujours comme ça : quand un appareil se met à mal fonctionner, on dirait que les autres se déglinguent en même temps, rien que pour nous emmerder.

J'ignorais s'il serait plus pratique de nettoyer les dégâts avec une moppe ou un balai. J'ai pris les deux. Après avoir remis la cuisine en ordre, j'ai coupé une autre lime et je me suis refait un gin tonic. J'en ai bu deux grandes gorgées en tremblant avant de me rendre à la salle de bain pour me désinfecter la main et y coller quelques diachylons.

Assis sur le siège de la toilette, je me suis demandé si je n'étais pas en train de perdre la boule. J'ai respiré un grand coup, puis je me suis fait couler un bain moussant dans l'espoir de me détendre. J'ai sorti mon téléphone de la poche de mes jeans pour m'assurer qu'il était éteint et je l'ai posé sur le comptoir près du lavabo avant de me déshabiller. Je n'avais plus du tout envie de l'allumer. Je me suis glissé dans l'eau chaude, avec mon verre à portée de main.

Je n'arrivais pas à me changer les idées.

Je regrettais d'avoir oublié de prendre mon livre et, dans la pièce, je n'avais qu'une pile de revues gondolées, d'anciens numéros de *GQ* et d'*Esquire* que j'avais déjà lus. J'avais tellement envie de me changer les idées que j'aurais même fait des mots croisés ou des sudokus. J'ai feuilleté un vieux magazine de photo pour y contempler les filles nues et mouillées qui prenaient des poses érotiques sur des plages de sable fin. Elles n'arrivaient pas à retenir mon attention.

Je me demandais si mon appartement était hanté, ce qui soulevait une autre interrogation, tout aussi à propos : est-ce que je croyais aux fantômes ? Je n'y avais jamais cru, mais une constatation évidente me frappait : les sceptiques ont tous la particularité de n'avoir jamais assisté de près à un phénomène inexplicable. Ils n'ont jamais été seuls dans la nuit alors que l'environnement qu'ils connaissent bien, maison, chalet, logement, se dérègle et laisse échapper des bruits qu'ils n'avaient encore jamais entendus, ou que des objets se déplacent ou apparaissent sans qu'ils puissent en trouver l'explication. C'est facile de jouer au cynique désabusé lorsque l'histoire nous est racontée par un ami qui l'a entendue d'un autre ami. Ça l'est beaucoup moins quand votre sonnette vous réveille en pleine nuit ou que votre réfrigérateur se met à cracher des glaçons sans qu'on lui ait demandé.

À choisir, perdre la boule serait moins compromettant que de reconnaître l'existence des fantômes. Si ce n'était de Solange Bourque, qui avait aussi été témoin de phénomènes étranges, j'aurais pu être tenté de préférer cette option. Simple fatigue ou débalancement chimique, un docteur aurait vite trouvé le problème, m'aurait fourgué une prescription et, hop, tout serait revenu à la normale. Mais commencer à croire aux fantômes, c'était différent. Ça changeait tout. J'étais athée depuis toujours, on n'avait jamais réussi à me faire croire à Dieu, au Diable, au ciel, à l'enfer ou à nos proches décédés qui nous accueillent avec un sourire aux lèvres au bout d'un long tunnel lumineux. Selon moi, l'âme n'est qu'un concept rassurant auquel les gens s'accrochent pour mieux accepter la mort, inéluctable, qui attend tout être vivant. Avant d'affirmer que je croyais aux fantômes, il me faudrait d'abord réévaluer mes convictions.

Le problème, c'est que je n'avais pas vraiment envie de remettre mes croyances en question.

Une qui aurait bien ri de me voir là, dans mon bain de mousse, aux prises avec mes questionnements, c'était Julianne. Elle m'avait quitté peu après la fête de mes trente ans, après trois ans de fréquentations. Blonde et pétillante, toute menue, plus jeune que moi, elle s'était laissé enjôler par un musicien prometteur, un beau brun charismatique plein d'optimisme. Aux dernières nouvelles, il avait craqué sous la pression et elle devait faire des pieds et des mains pour qu'il sorte du lit et prenne une douche ou avale son Zoloft.

Julianne se plaignait que j'étais sombre et cynique, elle me reprochait de ne croire en rien et je la décevais par mon manque d'enthousiasme chaque fois qu'elle me racontait ses histoires de fantômes qui hantent le chalet de ses parents, en Estrie. Elle se fâchait si je la guidais vers un site web de légendes urbaines pour lui montrer l'explication rationnelle aux histoires qu'elle venait de me raconter. J'avais conscience de brimer sa créativité et sa folie et pourtant je ne pouvais m'en empêcher, croyant que la vérité lui ferait du bien. Julianne m'avait quitté, donc, pour son chanteur qui aimait autant qu'elle mettre les doigts sur un bout de bois posé sur une planche de Ouija en attendant qu'un esprit réponde à leurs questions. Elle avait déjà tenté de m'initier à une de ses séances de spiritisme, avec bougies pour l'ambiance, et une longue liste de précautions. « Sois prudent, il faut pas laisser l'entité faire un compte à rebours jusqu'à la fin sur la planche de Ouija, ça pourrait être dangereux. Si le bout de bois dessine des huit, c'est un esprit maléfique qui a pris le contrôle. Et il faut toujours terminer la session sur la case *goodbye*, sinon l'esprit pourrait revenir nous hanter. » Elle avait d'autres recommandations, mais j'avais été pris d'un fou rire bien avant la fin. Elle avait rouvert les rideaux et m'avait boudé pendant une semaine.

Elle était mieux assortie avec son musicien, dépressif ou pas ; mes convictions l'énervaient et, si elle avait été là, elle m'aurait dit que c'était enfin le moment de revoir ma conception du monde. Pas ce soir, merci.

J'ai agité mon verre et le bruit des glaçons qui s'entrechoquaient m'a fait sortir de mes pensées. J'ai bu ma dernière gorgée et j'ai remis de l'eau chaude dans la baignoire. J'étais plus décontracté et vraiment pas pressé de bouger. La douce quiétude de l'après-midi est un luxe dont je ne me lasse pas.

J'ai sursauté quand, du coin de l'œil, par la porte entrouverte, il m'a semblé voir une ombre noire passer dans l'appartement. Je me suis presque aussitôt trouvé ridicule : ça pouvait être n'importe quoi. Un avion qui passe devant le soleil, un nuage, un reflet qui vient frapper une fenêtre ou quoi que ce soit d'autre. Je ne devais pas laisser mon imagination s'emballer et commencer à voir ou à entendre des phénomènes étranges simplement parce que j'étais plus attentif à mon environnement. En restant immobile et en retenant mon souffle, j'entendais des sons que je n'avais jamais remarqués et que je n'arrivais pas à identifier. Un petit bruit métallique, comme une cuillère à café qui tinte dans une tasse. Un bruit sourd qui pouvait autant être un courant d'air dans un tuyau d'aération qu'un ronflement ou la respiration d'un zombie aux aguets qui m'attendait derrière un meuble, prêt à me sauter à la gorge. Il n'y a pas de limites aux horreurs qu'on peut s'inventer avec un minimum d'imagination.

* * *

Je m'étais décidé à effectuer quelques petites tâches, comme laver la vaisselle, ouvrir le courrier en retard et répondre aux courriels plus urgents que les autres. J'en étais à sortir mes vêtements de la sécheuse pour les plier quand j'ai entendu un grand coup. Ça m'a tout de suite rendu nerveux, surtout que ça semblait provenir de la cuisine. Ma cuisine. Là où il était censé n'y avoir personne. Un objet était tombé par terre à cause du vent, sans doute. J'ai fait comme si je n'avais rien entendu et j'ai continué à rassembler mes bas par paires. Un autre coup, plus fort que le précédent, a fait trembler les murs. C'était comme si on avait soulevé un côté de ma grande table en teck pour la laisser retomber sur ses pattes.

Je me suis décidé à sortir de la pièce à débarras et à aller voir ce qui se passait dans le coin salle à manger. Les choses étaient à leur place habituelle, et il n'y avait qu'une brise légère qui entrait par les grandes fenêtres ouvertes qui donnaient sur la terrasse. Pas de quoi renverser des meubles ou jeter des cadres par terre. Il n'y avait rien sous la table ni sous les chaises. J'ai jeté un coup d'œil rapide dans le reste de l'appartement en retournant plier mes vêtements. Tout était normal.

J'étais à peine revenu dans la pièce à débarras quand j'ai entendu à nouveau un grand coup sourd et le fracas d'une chaise qui tombe à la renverse.

— Il y a quelqu'un ?

C'est par réflexe que j'ai posé la question ; je ne m'attendais pas à avoir une réponse. Mais on m'en a donné une. Trois coups puissants, rapides et violents, qui m'ont fait dresser les cheveux sur la tête. J'ai eu peur, mais de rester dans cette pièce fermée où je ne voyais pas ce qui se passait m'effrayait davantage que d'en sortir. J'ai abandonné mon panier à linge et je me suis dirigé vers mon lit en regardant vers la cuisine. À part une chaise renversée, rien n'avait bougé. Mais l'ambiance dans le loft m'oppressait : j'avais les épaules raidies par le stress et le souffle court. Je me sentais près de la crise d'angoisse. Pour me changer les idées et retrouver mon calme, je me suis dit que j'avais sûrement une course à faire au café dépanneur au rez-de-chaussée de l'immeuble. J'ai saisi mes clés, mon livre et je suis sorti sans prendre le temps d'éteindre les lumières ou d'activer le système d'alarme.

* * *

Straz y était, comme d'habitude. Il remplissait son présentoir à bonbons. Il s'est tourné vers moi en entendant la clochette de l'entrée, a décroché un sac de réglisses noires et l'a lancé dans ma direction. J'ai réussi à l'attraper, malgré mes mains qui tremblotaient. Il a souri en hochant la tête, pour souligner ma performance.

Je dis « il », mais je ne suis sûr de rien. Straz pourrait aussi bien être un homme efféminé qu'une femme avec une minuscule poitrine. Sa voix rauque ne donnait aucun indice, encore moins ses vêtements génériques, des jeans et des gros chandails sans forme particulière. C'était une question qui se posait très mal, surtout après plus d'un an à le (ou la) croiser tous les jours. « Dis donc, Straz, un truc qui me chicote… t'es un homme ou une femme ? »

— Vous avez aimé Londres, monsieur Corax ?

— J'ai adoré, merci ! Vous devriez vous décider à prendre des vacances et aller y faire un tour. Je suis certain que ça vous plairait.

C'est à peine s'il m'écoutait. Il tentait d'anticiper mes besoins. J'étais là, debout dans le café, et je ne regardais rien en particulier. Il savait bien que je connaissais l'emplacement de tout ce que j'achetais ici, et le fait que je ne me sois pas dirigé d'emblée vers le lait ou les chips le laissait perplexe.

—Je sais que vous allez trouver ça bizarre, Straz, mais je vais vous prendre un café.

Il a pouffé de rire puis m'a lancé un regard incrédule.

— Pour de vrai ?

— Pour de vrai.

— Vous vous souvenez que vous le trouvez infect, non ? Une odeur de pipi de chat et un goût de…

— Térébenthine, oui. Pour tout dire, j'avais surtout envie de sortir de mon appart et de m'installer ici pour lire, et je me suis dit que ce serait probablement impoli d'apporter mon café dans un café.

— Effectivement. J'ai aussi du thé. Et peut-être quelques boîtes de tisanes rangées dans un coin oublié des toilettes.

— Un café, ça me va. Le plus petit format que vous avez…

Straz a hoché la tête et, sans se débarrasser de son air incrédule, a soulevé un panneau pour se rendre derrière son comptoir. Il a préparé mon café pendant que je m'installais à une table, puis me l'a apporté en souriant, comme s'il n'arrivait pas à s'habituer à l'idée que j'allais me tremper les lèvres dans cette lavasse bouillante.

— Et puis, il s'est passé quelque chose d'intéressant ici pendant que j'étais parti ?

Je tentais d'avoir l'air détaché. Ce que j'essayais de savoir, ce n'était pas ce qui avait fait les manchettes dans le dernier mois mais bien s'il y avait des événements étranges dans l'immeuble, ailleurs qu'à mon étage. Mieux, j'aurais aimé que Straz me rassure en corroborant mes hypothèses les plus rationnelles : « Je crois que l'immeuble se déglingue. On a des problèmes électriques un peu partout. Et puis la tuyauterie est bruyante et fait de gros coups sourds à tout moment. Il faudrait faire vérifier ça, je crois. Et vous avez remarqué ces coups de vent ? Chez moi, ça fait même renverser les chaises ! Ah, et les agents de sécurité de l'Orphéon ont développé une passion pour l'origami et s'amusent à entrer dans les locaux pour y déposer des petits animaux. » Straz a haussé les épaules après avoir réfléchi un instant.

— Rien de spécial.

Déception.

Il est retourné derrière sa caisse en me laissant seul avec mes inquiétudes. Un des agents de sécurité est entré et s'est choisi un sandwich sous cellophane sans même vérifier sa date de péremption. Le bonhomme vivait dangereusement. Je lui ai envoyé la main, sans savoir lequel des jumeaux moustachus c'était, soit Réjean, soit Rolland. J'ai ouvert mon livre et je l'ai lu distraitement en laissant mon café refroidir. Dehors, des gens joggaient au bord du fleuve ou promenaient leurs chiens. Des adolescentes marchaient en envoyant des textos, sans regarder où elles mettaient les pieds. Une itinérante vêtue d'un manteau de fourrure poussait un panier d'épicerie rempli de canettes vides sur la pelouse. La vie normale qui se déroulait tout autour de moi me faisait du bien.

Même le café de Straz me semblait buvable.

Les heures ont passé et l'appétit m'a gagné. Je ne me sentais pas encore le courage de rentrer chez moi, mais je n'avais pas envie d'aller au restaurant. En désespoir de cause, je me suis approché du comptoir à sandwichs. J'ai ramassé celui qui avait l'air le moins suspect, un pain kaiser rabougri sous cellophane avec un bout de laitue fripée qui en dépassait. Ça disait « jambon fromage », et la date était limite. J'ai également pris un jus de pomme et je me suis approché de la caisse où j'ai reluqué les muffins, sous cellophane eux aussi.

— Oh, non, je vous conseille pas les muffins, monsieur Corax. Ils commencent à dater.

— Ah. Mais pourquoi vous les laissez là ?

— Il y a des clients que ça me dérange moins d'empoisonner que d'autres. Vous voulez encore du café ?

— Non, je pense que je pousse déjà suffisamment ma chance, là.

Il a approuvé en hochant la tête et m'a offert une tranche de gâteau au citron et aux graines de pavot, sous cellophane, gracieuseté de la maison. Je suis retourné à ma place et j'ai mangé en prenant mon temps.

Peu avant dix heures, Straz est venu débarrasser ma table et m'avertir que c'était l'heure de la fermeture. J'ai consulté ma montre, à la fois surpris et ravi que le temps ait passé si vite. Je lui ai souhaité une bonne soirée et je suis sorti me balader. J'avais les jambes et les fesses engourdies d'être resté assis tout ce temps sur une chaise inconfortable.

Je n'avais pas l'intention de revenir au loft avant d'avoir sommeil, alors je me suis baladé au hasard dans les rues désertes. De mon ancien emploi de postier, j'avais gardé ce goût de marcher. À l'époque, ça me détendait même si je me démolissais les muscles du dos et des épaules. Mais, ce soir-là, je n'étais pas détendu. J'avais toujours une espèce de nervosité latente ; j'étais sur le qui-vive, à l'affût des dangers, et je me sentais suivi. Je me retournais pour un rien, comme un criminel en cavale, à chaque bruit que je ne connaissais pas. Un chat errant m'a fait sursauter. Une bestiole qui ressemblait fort à une mouffette et qui fouillait dans un sac de poubelles m'a fait rebrousser chemin.

De retour près de l'immeuble, je n'étais pas du tout détendu mais, au moins, j'avais sommeil. Avant d'entrer, j'ai regardé l'Orphéon, et plus particulièrement mon étage. Je n'y voyais aucune lumière alors que je croyais avoir laissé les lampes allumées en partant. Je ne m'en souvenais pas très bien. J'ai préféré ne pas m'attarder sur ce détail.

Je n'avais plus autre chose à faire que de rentrer chez moi. Le gardien n'était pas à son poste et le rez-de-chaussée était désert. L'ascenseur s'est ouvert dès que j'ai appuyé sur le bouton. Arrivé au cinquième, j'ai lancé un regard prudent dans le corridor avant de m'y engager, et un autre avant d'entrer dans mon appartement. Tout était calme. Aucun glaçon n'était tombé sur le plancher de la cuisine, il n'y avait pas de musique qui jouait ni de téléviseur allumé.

Devant la salle de bain, il y avait une petite souris en origami, dressée sur ses pattes d'en arrière.

Je me suis accroupi pour mieux l'observer. Elle était très réussie. N'eussent été sa couleur et son immobilité, on aurait pu se laisser berner. J'ai fait attention de ne pas la renverser en allant me brosser les dents. J'ai préféré la laisser là pour la nuit ; si l'inexplicable chose avait décidé que c'était l'endroit où déposer son bricolage, je n'allais pas m'y opposer avant d'aller dormir. Avec la fatigue accumulée causée par le décalage horaire et le mauvais sommeil des derniers jours, ça me paraissait une solution sensée : laisser tranquille ce phénomène étrange en espérant qu'il ne trouble pas ma nuit.

Il s'en est fallu de peu pour que je lui souhaite « bonne nuit, beaux rêves, pas de puces, pas de punaises » à voix haute. Mais peut-être que mon sarcasme n'aurait pas été apprécié.

Et, surtout, je n'avais pas envie qu'on me réponde.

Miya sort de l'appartement et s'empresse de se rendre à l'ascenseur pour appuyer sur le bouton avant que sa mère le fasse. Katsumi a le temps de vérifier qu'elle a tout ce qu'il faut pour le pique-nique, de retourner dans la cuisine pour prendre la nappe oubliée sur une chaise et de ressortir avant que l'ascenseur arrive. Elles entrent et Miya prend bien soin de tirer la queue de son cerf-volant pour éviter qu'elle se coince dans les portes.

—Je suis sûre qu'il volera pas.

—Ben oui, tu vas voir. On va acheter du papier collant au dépanneur pour le réparer.

Miya n'a pas grand espoir. Elle avait joué avec sur la terrasse, malgré les avertissements de sa mère, et le cerf-volant s'était écrasé sur le toit couvert de gravelle. La toile s'était déchirée sur quelques centimètres quand Miya avait tiré pour le ramener.

Au dépanneur, Straz les accueille avec un grand sourire.

— Salut, Mimi ! Eh ben, dis donc ! C'est une belle pieuvre que t'as là !

— C'est pas une pieuvre, c'est un fantôme. Il est brisé.

Miya montre le problème à Straz, qui s'empare du cerf-volant et le pose sur le comptoir. Après avoir décroché un rouleau de papier adhésif du présentoir de papeterie, Straz entreprend de réparer la déchirure, devant une Miya silencieuse et intéressée. Katsumi ramasse une grande bouteille d'eau et un sac de réglisses noires. Straz remet rapidement le jouet entre les mains de Miya, qui l'agite dans les airs pour en tester la solidité.

— Ça marche ! Merci merci merciiiii !

Elle sort attendre sa mère dans le hall de l'Orphéon, pressée d'aller dehors, pendant que Katsumi dépose ses emplettes sur le comptoir et fouille dans son portefeuille.

— Je vais vous prendre aussi le papier collant !

— Cadeau de la maison ! Et puis, la petite, comment elle va ?

— Elle a des bonnes et des mauvaises journées... Aujourd'hui, c'est une bonne. On prend ça un jour à la fois.

— Est-ce qu'ils ont trouvé qu'est-ce qu'elle a ?

— Toujours pas. C'est peut-être une forme rare de leucémie. Ils cherchent aussi du côté des maladies moins connues. Alors encore des prises de sang, des scans et des échographies...

— Il faut garder confiance, hein ? Si vous avez besoin de quoi que ce soit...

— Vous êtes là sept jours par semaine, ouvert jusqu'à très tard ! Merci, Straz, j'apprécie. J'emprunterai peut-être encore votre voiture lundi prochain, si c'est possible et que ça dérange pas...

— Ça me fera plaisir !

— Merci...

Straz hoche la tête avec un sourire affable et lui remet sa monnaie. Katsumi rejoint sa fille, occupée à expliquer au gardien de sécurité le fonctionnement d'un cerf-volant. Le vieux Rolland, habituellement stoïque et taciturne, fait de grands efforts pour avoir l'air intéressé. Quelqu'un de moins naïf verrait le subterfuge mais ses sourcils en l'air et sa moue étonnée convainquent tout à fait Miya. Elles sortent de l'immeuble et laissent Rolland replonger dans ses pensées.

Katsumi se penche et ramasse les souliers que Miya a abandonnés en chemin pour pouvoir marcher pieds nus sur la pelouse. Elle la regarde préparer méthodiquement l'envol de son cerf-volant et tente de ne pas pleurer. « Il faut garder confiance », se prend-elle à dire tout haut, alors qu'elle laisse aller ses larmes en gémissant.

Je me suis réveillé en plein milieu d'un cauchemar : j'étais dans une pièce nue où il n'y avait rien d'autre qu'un cercueil fermé posé par terre. J'entendais un gémissement étouffé, comme s'il provenait de derrière une porte. C'était vraisemblablement une femme qui pleurait et, en m'approchant du cercueil, je comprenais qu'elle était couchée dedans et qu'elle était incapable d'en sortir. En me penchant pour la libérer, je sentais une présence sur ma gauche et je tournais la tête pour voir ce que c'était. Une fillette vêtue d'une robe blanche ensanglantée me fixait de ses petits yeux morts. C'est à ce moment que je me suis enfin réveillé.

Un camion à ordures est passé, en faisant un vacarme peu commun, et la nuit est lentement redevenue silencieuse. Mon oreiller était moite, alors je l'ai retourné pour profiter du côté frais. J'ai replacé ma couette. J'ai bâillé. J'espérais vite basculer dans le sommeil, mais j'avais de la difficulté à me chasser de l'esprit le visage effrayant de la petite fille. Je ressentais un curieux malaise et, une fois que j'ai pu mettre précisément le doigt sur ce que c'était, j'en ai eu la chair de poule : je me sentais observé. Une sensation aussi inusitée qu'inexplicable, que j'ai tenté d'ignorer. Se sentir observé dans un lieu public, c'était compréhensible. Mais seul, chez moi, dans l'obscurité, c'était ridicule et enfantin. Je n'ai pas l'habitude de laisser mon imagination s'emballer et j'étais presque fâché que les événements des derniers jours m'aient bouleversé à ce point. J'ai bâillé à nouveau en m'étirant les jambes et j'ai senti quelque chose au bout du lit. Une résistance, un poids sur la couette, comme si quelqu'un était assis dessus. Il n'y avait rien à cet endroit quand je m'étais couché.

Cette fois, j'ai eu du mal à me contrôler. J'ai lutté pour résister à l'envie de sortir du lit en courant et j'ai lentement ramené mes jambes vers moi. J'ai commencé à avoir très chaud sous la couette sans avoir le courage de la déplacer, ne serait-ce que pour en sortir un doigt. L'idée de me soulever la tête pour voir s'il y avait quelqu'un d'assis sur mon lit m'a paru au-dessus de mes forces. J'étais pétrifié. Et je ne savais toujours pas ce que j'allais faire. J'avais tous les sens en alerte, le cœur qui voulait me sortir de la poitrine, et réussir à me rendormir sans avoir d'explication me semblait improbable.

Et puis, à force d'imaginer ce qui pouvait bien se trouver là, des monstres, des fantômes, des horreurs sans nom, j'ai réussi à me convaincre que la vérité serait sûrement moins effrayante. Je me suis donc redressé dans mon lit, le plus doucement possible, et je me suis tourné. L'appartement était plongé dans le noir, alors qu'habituellement les lumières de l'extérieur permettaient de bien distinguer la silhouette de chacun des meubles.

*Les rideaux... Je me souviens pas d'avoir fermé les rideaux.*

J'y voyais assez pour savoir qu'il n'y avait personne sur mon lit. Bonne nouvelle. Peut-être que je me faisais des idées, mais la couette me semblait aplatie comme si quelqu'un y avait été assis il y a quelques secondes. Je suis resté un long moment à scruter les ténèbres sans remarquer de mouvement suspect, mais je n'y voyais pas suffisamment pour être rassuré. J'ai allumé ma lampe de lecture et je me suis redressé pour regarder au pied de mon lit. Rien d'anormal de ce côté. Mais je n'arrivais pas à maîtriser ma peur, au point que je n'osais pas passer ma main dans l'air, devant moi, effrayé à l'idée de toucher quelque chose d'invisible qui se serait tenu là en dépit du bon sens et de la logique. J'ai plutôt avancé un pied, et ce qui m'avait paru exercer un poids sur le lit n'y était plus. Probablement rien d'autre qu'un pli dans la couette. Et cette impression d'être observé pouvait très bien n'être que les reliefs de mon rêve étrange.

Je me suis recouché en laissant ma lampe de lecture allumée. Pas pour lire, mais pour calmer mon angoisse. Comme un enfant qui ne peut dormir sans sa veilleuse, effrayé par les monstres imaginaires qui se cachent sous son lit. Voilà où j'en étais rendu.

Le temps passait lentement et, malgré la fatigue, je n'arrivais pas à m'endormir. Une partie de moi était fébrile et luttait contre le sommeil, comme si je craignais que des événements étranges se produisent sans que je m'en rende compte. À choisir, pourtant, j'aurais préféré ne rien savoir.

*Un bruissement.*

Aucun mot ne saurait mieux décrire ce que j'ai entendu. J'avais fini par me rendormir et, quand j'ai ouvert les yeux, le jour commençait à poindre derrière les rideaux. Un bruissement. Ça pouvait provenir de la cuisine ou d'encore plus près, peut-être de la salle de bain. D'une façon ou d'une autre, ça venait de ma gauche. J'ai retenu mon souffle et je suis resté immobile pour mieux entendre. Je distinguais un bruit de tissu qui glissait sur le plancher, et quelque chose de solide frottait aussi. Une fermeture éclair, ou peut-être des boutons. L'image qui me venait en tête ne m'emballait pas du tout, mais on aurait dit quelqu'un qui rampait. Et j'avais beaucoup de mal à me faire à cette idée.

Pour ajouter au malaise, ma lampe de lecture était éteinte. Et je me souvenais de l'avoir laissée allumée. C'était comme si on voulait m'empêcher d'être témoin de ce qui se passait. Je me suis concentré sur le bruit et j'ai tenté d'y trouver une explication concrète. *Un rat ?* Les rats marchent, ils ne bruissent pas. Si c'était une bestiole quelconque, elle traînait quelque chose avec elle. La bonne nouvelle, c'est qu'elle ne semblait pas s'avancer vers moi.

J'évitais le moindre mouvement ; il était hors de question que j'informe cette chose que j'étais réveillé : sûrement qu'elle aurait le temps de me sauter dessus bien avant que mes doigts tremblants ne rallument la lampe. J'ai reconnu le grincement caractéristique de la porte de la pièce à débarras qui me sert aussi de salle de lavage, puis le bruit qu'elle fait quand on la ferme.

Le silence est revenu. Cette chose, peu importe ce que ça pouvait être, s'était réfugiée là et avait fermé la porte derrière elle.

Je suis resté figé sur place de longues minutes, incapable de prendre la moindre décision. Pas question d'aller voir ce qui se cachait dans la pièce à débarras. Pas envie de me lever. Je ne me sentais pas bien. J'étais trempé de sueur et j'étais étourdi. Je me suis couché sur le dos et me suis forcé à garder mon calme en prenant de longues respirations. J'aurais été tenté de fuir si j'avais pu le faire sans passer par la porte principale, qui était juste à côté de celle de la pièce à débarras. La sortie de secours était aussi une option. J'ai tenté de me lever mais les étourdissements ont augmenté. J'ai vu des points noirs, je me suis senti faiblir et je suis retombé sur le lit.

La télé m'a fait sursauter et j'ai vite rouvert les yeux, confus et désorienté.

*Time for tubby, bye bye !*
*Time for tubby, bye bye !*

*Time for tubby, bye bye !*
*Bye bye, Tinky Winky !*
*Bye bye !*
*Bye bye, Dipsy !*
*Bye bye !*
*Bye bye, Laa-Laa !*
*Bye bye !*
*Bye bye, Po !*
*Bye bye !*

Le réveil sur ma table de chevet indiquait huit heures vingt-six. J'étais confus. Je me rappelais avoir eu un malaise, mais pas m'être rendormi. J'ai enfilé un pantalon de pyjama et je me suis contenté d'aller baisser le volume, sans éteindre le téléviseur. À quoi bon lutter ? J'ai ouvert les rideaux et j'ai préparé le café en regardant les grosses mascottes faire leurs simagrées.

Je me suis demandé s'il me viendrait le courage d'entrer dans la pièce à débarras pour voir si quelque chose s'y cachait. Peut-être que j'avais imaginé tout ça, que ce n'était rien d'autre qu'un cauchemar qui m'avait paru plus réel que les autres. N'empêche, la simple idée d'ouvrir cette porte me donnait le frisson. Je ne pouvais pas éviter cette pièce éternellement mais pour l'heure c'est ce que je prévoyais de faire.

À huit heures trente, j'ai pris ma première gorgée de café et le téléviseur s'est éteint de lui-même.

J'ai fait comme si c'était normal.

J'avais envie de normalité.

Après mon café au lait et mon déjeuner, j'ai enchaîné avec mes activités habituelles : trente minutes sur le vélo elliptique et un peu de Pilates. Je regardais régulièrement en direction de la porte de la pièce à débarras, en souhaitant chaque fois qu'elle soit encore fermée. Je me suis abstenu d'écouter de la musique car je ne voulais pas qu'il se passe quelque chose dans l'appartement sans que j'en aie conscience.

Je suis entré dans la salle de bain en prenant soin de ne pas déplacer la souris en origami. Je me suis déshabillé et j'ai lancé mes vêtements trempés dans le panier à linge sale. Pour la première fois depuis que j'habitais ici, j'ai verrouillé la porte avant d'aller sous la douche. Et toute l'étrangeté de la situation dans laquelle je me trouvais m'est apparue dans ce simple geste. Je ne me sentais plus en sécurité.

Le jet d'eau puissant qui masse les muscles, l'odeur énergisante d'eucalyptus et de menthe poivrée de mon savon : j'appréciais habituellement chaque seconde de la rassurante normalité de ma routine matinale. Mais pas ce matin-là. Je me suis crispé dès que j'ai entendu de la musique. C'est sans difficulté que j'ai reconnu l'*Ave Maria* de Schubert, encore. J'ai gardé mon calme, même si ça exigeait un effort. Je ne voyais pas l'intérêt de m'élancer dans l'appartement en hurlant et de jeter mon MacBook par la fenêtre. Surtout si ça supposait de tomber nez à nez avec ce qui vivait dans ma pièce à débarras. Écouter Schubert à plein volume en prenant ma douche, voilà ce que j'allais faire.

Ce sont les coups qui m'ont fait sursauter. Ma bouteille de shampoing m'a glissé des mains et j'ai failli tomber sur le dos en tentant de la rattraper. De grands coups réguliers, trois à la fois, espacés de quelques secondes. Il m'a semblé qu'on cognait sur un des murs de la salle de bain. Comme si quelqu'un cherchait à m'effrayer. Et ça marchait plutôt bien. Le verrou m'apparaissait soudainement être un moyen de protection dérisoire. Je surveillais la porte et j'aurais hurlé comme un dingue si on avait essayé de l'ouvrir. Je me suis rincé en vitesse sans la quitter des yeux.

Et je me suis trouvé idiot.

Évidemment qu'elle n'allait pas s'ouvrir : c'est à la porte d'entrée qu'on cognait. J'avais arraché ma sonnette et, à cause de la douche et de Schubert, je n'avais pas entendu l'interphone. C'était simplement un visiteur, un humain fait de chair et d'os. Je suis sorti de la douche et j'ai empoigné une serviette.

—J'arrive !

J'ai regardé par l'œil-de-bœuf et, rassuré, j'ai ouvert. Mon frère Guillaume.

— Salut !

— Salut. Qu'est-ce tu fais ici ?

— Ben. Je te rends visite...

— M'as-tu appelé par l'interphone ?

— Pourquoi j'aurais fait ça ? T'as une sonnette ! Je monte, je sonne. Qu'est-ce que ça change ? Il y a personne qui va t'attaquer, espèce de parano. Ta sonnette a pas l'air de marcher, d'ailleurs.

— Tu pouvais pas m'avertir avant de passer ?

— Franchement, Louis. Ça fait des semaines que je te laisse des messages et j'ai jamais de réponse.

— Oui, euh. J'étais à Londres.

—Ah, ben oui, excuse-moi. Tu dois pas avoir les moyens de payer un interurbain.

J'étais bouché, alors j'ai préféré me taire. Je ne me sentais pas d'une grande patience et j'espérais qu'il me dirait vite ce qu'il voulait. Il est entré puis a refermé la porte derrière lui. J'ai éteint la musique.

—Je savais pas que t'aimais le classique. C'est nouveau ? Tu me ferais pas un café ? T'es pas doué pour la vie en société mais tu fais du bon café.

Il a retiré ses souliers puis est allé s'affaler sur un sofa. À son passage, j'ai senti sur les vêtements de Guillaume l'odeur distincte du gras refroidi de chez McDonald's. Il m'a aussi semblé l'entendre roter. Nausée légère. J'ai ramassé la souris de papier, sur laquelle j'avais marché sans m'en rendre compte. Elle était froissée et mouillée. Je l'ai posée sur une étagère et j'ai fait des contorsions pour enfiler des jeans sans que mon frère me voie les fesses ou les couilles. J'ai ramassé mon vieux t-shirt des Chemical Brothers qui traînait sur le lit et je me suis rendu à la cuisine. J'ai allumé la machine à café pendant que Guillaume feuilletait le *GQ France* en se raclant la gorge.

—Jean Dujardin. Estie qu'y m'énarve, lui ! Grosse guidoune à kodaks ! As-tu vu son dernier film ? Poche, poche, poche, poche, poche. Y'é tellement *overrated* !

J'ai haussé un sourcil pour avoir l'air de m'intéresser à la conversation. Je lui ai préparé un gros bol de café au lait plein de sucre, comme il l'aime, pendant qu'il dénigrait chaque vedette dont il voyait la photo. Je l'ai rejoint dans le coin salon. Il m'a presque arraché le bol des mains et a bu une grande gorgée de café sans attendre qu'il refroidisse.

— Mmm. Excellent ! As-tu des nouvelles de Francis ?

— Euh. Non, toi ?

— Oui. Il est venu souper à la maison, hier. Il dit que son plus jeune frère lui donne jamais de nouvelles.

—Je l'ai appelé il y a pas longtemps, me semble.

— Non. Les parents, c'est pareil. Ils s'inquiètent un peu pour ta santé mentale.

— Ma santé mentale. Franchement.

— Ils se demandent si t'es pas devenu un peu dingo, enfermé chez toi avec tout ton fric.

—J'ai l'air sain d'esprit, non ?

J'ai ouvert les bras pour qu'il me regarde comme il faut. Je n'ai pas eu l'air de le convaincre.

— T'es blême. On dirait que t'as pas dormi depuis une semaine.

— Décalage horaire.

— Tu pourrais les appeler, des fois.

— Oui, oui. Je vais le faire bientôt, là. Estie que vous êtes fatigants, des fois. Je suis pas comme Francis ou toi, vous le savez que je suis pas très famille. C'est pas l'argent qui m'a changé, j'ai toujours été comme ça. Je suis un solitaire, j'ai toujours été un solitaire pis je vais pas changer miraculeusement.

— Quand t'étais avec Julianne, on te voyait plus souvent. En couple, t'es moins sauvage.

— C'est peut-être d'elle que vous vous ennuyez. Là, je suis tout seul. Qu'est-ce que tu veux que je te dise ?

Il ne savait pas. Je suis retourné dans la cuisine pour me préparer un café au lait.

— As-tu gardé un enfant ?

— Hein ?

— J'ai dit : « As-tu gardé un enfant ? » Ta table de salon est toute barbouillée. On dirait du crayon de cire. Tu couches avec une femme qui a des enfants, mon cochon ?

Je n'avais aucune idée de ce dont il parlait. Je me suis approché, et j'ai vu. Sur la table laquée blanche, il y avait une multitude de petits traits verts. J'ai poussé les télécommandes et les revues pour mieux voir. Un tiers de la table en était couvert, comme si un enfant s'était servi de sa surface carrée comme d'une feuille blanche et avait dessiné du gazon sur la partie inférieure.

J'étais bouche bée.

Je ne savais pas si je devais lui parler des phénomènes étranges qui se passaient ici ou me taire et inventer une explication rationnelle pour les traits de crayon.

— Coudonc, as-tu vu un fantôme ?

J'ai fait semblant de trouver ça drôle et je suis retourné m'occuper de mon café. Guillaume a déposé le *GQ* sur ses grosses cuisses et il est soudainement devenu sérieux.

– Bon. O.K. C'est les parents qui m'ont pratiquement obligé à venir voir comment t'allais. Je leur dis quoi ?

J'ai réfléchi un court instant.

– Dis-leur que je vais bien.

Guillaume s'est gratté la joue en m'examinant.

– Et si je leur dis ça, ça va être une petite ou une grosse menterie ?

Je n'ai pas eu besoin de lui répondre, mon sourire crispé était éloquent.

– Sais-tu où je peux acheter ça, toi, des caméras de surveillance ?

À ce moment précis de son existence, Katsumi déteste les hommes. Tous les hommes. Particulièrement ceux qui l'ont laissé tomber, mais aussi ceux par qui les mauvaises nouvelles arrivent. Yuji, d'abord, son ex-mari qui a préféré son art à sa famille et qui se fait absent même en temps de crise. Elle sait que les engagements dont il n'arrive pas à se libérer n'existent pas. Yuji a une peur irrationnelle des hôpitaux et, lors des rares visites à sa fille, c'est à peine s'il réussit à passer trente minutes d'affilée dans la chambre de Miya. Une attaque de panique l'oblige chaque fois à sortir pour aller fumer dans le stationnement, assis dans sa voiture de location, une main tremblante agrippée sur le volant, à reprendre lentement son souffle et à tenter de trouver le courage d'y retourner.

Et ce nouveau propriétaire de l'immeuble, Louis Corax, qui se fout bien de ce qu'elle vit et lui envoie un avis d'expropriation qui tombe très mal. Il est dans son droit et le chèque de compensation est généreux, mais Katsumi est fatiguée et a de la difficulté à organiser son déménagement. Elle passe ses journées à l'hôpital et ne réussit pas à trouver le temps pour empaqueter ses affaires ou visiter les appartements à louer que ses amis lui dénichent. Surtout, elle n'arrive pas à se faire à l'idée que son prochain logis n'aura pas de chambre d'enfant. Cette seule pensée l'étourdit et lui donne la nausée. Il lui reste quelques mois avant de devoir quitter son appartement et les médecins, ces détestables médecins, parlent plutôt en termes de semaines pour ce qui est de la courte vie que Miya aurait encore devant elle. Cette idée lui est inacceptable. Elle ignore comment on se prépare à la mort de son enfant. Elle ignore comment on y survit.

Elle tente de rester forte devant sa fille, la gâte et profite de chaque minute en sa présence. Elle lui lit des histoires et fait des blagues même si le moindre éclat de rire essouffle Miya et l'essouffle aussi, elle, avec sa grande fatigue, son désespoir et son incapacité à envisager la suite des choses.

Assise dans un vieux fauteuil en cuir gris, au chevet de sa fille qui dort, elle fabrique un petit animal en origami. Son deux cent soixante-sixième. Il y en a partout dans la chambre d'hôpital : sur le lit et en dessous, sur la table de chevet, dans la salle de bain, sur le bord des fenêtres, dans les poches des vêtements de Miya, dans son sac à dos et probablement jusque sous son oreiller. Elle se souvient de lui avoir raconté une vieille légende japonaise et Miya avait été fortement impressionnée. L'histoire des mille grues dit que si l'on plie mille grues en papier, un vœu que l'on a fait sera exaucé. Miya avait émis l'idée que, si on ne faisait pas que des grues, un oiseau plutôt banal, mais qu'on fabriquait toute une ménagerie, elle aurait de meilleures chances de s'en sortir. Son vœu était fort simple : elle ne voulait pas mourir.

Ainsi, Katsumi s'est mise à créer des animaux de plus en plus complexes, apprenant dans des livres comment faire des ours, des girafes et des éléphants. Ça l'aide à tuer le temps pendant ses nuits d'insomnie et ça lui évite aussi de trop réfléchir aux diagnostics pessimistes des médecins.

Elle retouche les pattes et, satisfaite, dépose sa nouvelle création sur le lit, près de la main de sa fille. Un petit kangourou qui la rapproche un peu plus de ce souhait qui s'exaucera peut-être. Il n'y a que du côté des miracles que l'on puisse encore espérer. Elle étouffe ses larmes et retire doucement les écouteurs des oreilles de Miya, en faisant bien attention de ne pas la réveiller. Elle les pose sur ses propres oreilles et ne peut s'empêcher de sourire en entendant l'*Ave Maria* de Schubert. « C'est beau ! On dirait la musique qui joue au ciel ! » lui avait dit Miya, candide, la première fois qu'elle l'avait entendu. Elle l'avait écouté un nombre incalculable de fois depuis, souvent en boucle, pour se détendre mais peut-être aussi pour se préparer, au cas où son souhait ne serait pas exaucé, au cas où elle n'aurait pas l'énergie suffisante pour attendre que sa mère ait le temps de façonner mille petits animaux.

Pour éviter d'être trop dépaysée si elle devait aller au ciel.

Écouter l'*Ave Maria* est une des choses qui relaxent Miya. Cet air est d'une efficacité comparable aux Télétubbies qui l'apaisaient quand elle était petite et que Katsumi cherchait à calmer ses pleurs. Les simagrées de Tinky Winky, Laa-Laa, Po et l'autre, dont elle ne se rappelle jamais le nom, fascinaient tant Miya qu'elle en oubliait ses angoisses. La vie était simple, à cette époque. Yuji était auprès d'elle et leur petite fille avait un avenir plein de promesses. Mais plus rien de tout ça n'existait.

J'en ai installé quatre. Vu que je n'ai pas le moindre talent pour manier des outils, ça m'a tenu occupé tout l'après-midi. Sinon, le fonctionnement était plutôt simple : les caméras transmettaient leurs images sur l'ordinateur, via une connexion WiFi, et un logiciel gardait tout ça en mémoire. Une fonction pratique permettait de démarrer l'enregistrement seulement quand il y avait du mouvement. La première caméra surveillait l'espace dans l'entrée, avec la porte principale et celles de la pièce à débarras et de la salle de bain. Une autre caméra était pointée sur le coin chambre et bureau, et les deux dernières couvraient respectivement la cuisine et le salon. Ça englobait une bonne partie du loft.

Et ça créait une drôle d'ambiance.

Même si ça ne risquait pas d'arriver, vu l'état déplorable dans lequel j'étais, j'imaginais la surprise d'une fille que je ramènerais ici. « Non, non, ne t'inquiète pas, c'est pas pour enregistrer nos ébats mais pour voir s'il y a des fantômes. » Je me sentais comme un détraqué sexuel alors que tout ce que j'allais probablement enregistrer c'était moi faisant de l'elliptique ou mangeant devant le téléviseur. Je me suis assuré de savoir comment effacer pour éviter de conserver des souvenirs de mes branlettes en solitaire.

J'étais plutôt mal à l'aise avec toutes ces caméras braquées sur moi. J'ai fait quelques corvées en m'inquiétant de ce que j'avais l'air à l'écran, comme un acteur débutant à son premier jour de tournage. J'ai pris soin d'avoir une bonne posture en vidant les poubelles ou en balayant. Il s'en est fallu de peu pour que je me sorte un verre plutôt que de boire du jus d'orange à même le contenant.

J'ai frotté la table laquée du salon avec des chiffons, des éponges et toutes sortes de produits nettoyants jusqu'à ce que je trouve la bonne combinaison pour que les marques de crayon vert disparaissent. Le téléphone a sonné au moment où je terminais le travail. J'ai répondu machinalement, sans regarder qui c'était.

— Allô ?

Au début, je n'ai rien entendu. J'ai tout de suite su que ça allait être un appel étrange, mais je n'ai pas raccroché ; peut-être était-ce les caméras qui me donnaient une impression de sécurité. J'ai fait attention de ne pas bouger pour mieux entendre. Il y avait un bruit très léger, comme des grattements ou des petits coups, à intervalles plus ou moins réguliers. *Scratch, scratch, scratch.* Je me suis demandé ce que ça pouvait être. Un chat qui fait ses griffes, une branche d'arbre que le vent pousse et qui frappe sur un mur ou...

*Un enfant qui dessine du gazon.*

J'ai regardé la table laquée devant laquelle j'étais accroupi. Je m'en suis voulu de laisser mon imagination s'emballer de la sorte. C'était simplement parce que je nettoyais des traits de crayon que cette hypothèse m'était venue à l'esprit. Ce bruit, ça pouvait être n'importe quoi. Quelque chose a bougé derrière moi et je me suis retourné. Du coin de l'œil j'ai à peine eu le temps d'apercevoir une ombre noire d'apparence humaine, comme si elle bougeait à la vitesse où je tournais la tête. Je me suis redressé si vite que j'ai heurté la table. J'ai perdu l'équilibre et je me suis étalé par terre en poussant un cri de détraqué.

Je suis resté là un moment, couché sur la peau de vache à regarder le plafond. Étais-je au fond du baril ? La chute serait-elle encore longue ? Est-ce que cette histoire allait se terminer avec moi, hirsute et désespéré, me jetant du haut de ma terrasse avec un grand soupir de soulagement ?

Sans prendre la peine de me relever, j'ai étiré le bras pour récupérer mon téléphone. On avait raccroché. J'ai consulté l'historique pour voir si j'y trouverais des informations sur cet appel inconnu. Rien. Je ne pouvais que constater qu'on m'appelait souvent et régulièrement depuis quelques jours.

C'était sûrement une erreur d'affichage, mais mon appareil indiquait que j'avais eu un appel de « numéro privé » le matin et que la conversation avait duré vingt-trois secondes. Je ne me souvenais pas de cet appel, reçu à peu près à l'heure où j'étais dans la douche, que Schubert jouait et que Guillaume me flanquait la frousse en frappant à ma porte.

Quelqu'un d'autre que moi avait donc répondu au téléphone. Et cette idée ne me plaisait pas du tout. Je regrettais de ne pas avoir installé les caméras plus tôt.

J'ai relevé la tête pour constater que tout semblait revenu à la normale dans le loft. J'ai calé un coussin derrière mon cou, en me demandant si je n'allais pas passer ma journée là, couché sur le dos au milieu du salon. Je n'étais pas plus mal ici qu'ailleurs. Mon rythme cardiaque était revenu à la normale. D'un doigt, je tapotais machinalement mon téléphone en me demandant ce que j'allais faire. J'avais bien une idée, mais je doutais qu'elle soit bonne.

Julianne Scott.

Son numéro de téléphone était le premier que j'avais inscrit dans la liste de contacts de mon cellulaire quand je me l'étais procuré. J'étais parvenu à ne jamais l'appeler, même triste, même soûl, même les nuits d'insomnie où je tentais de me souvenir de la moindre courbe de son corps.

J'ai cessé de réfléchir et j'ai appuyé sur « appeler ». Je me disais que de toute façon elle avait peut-être changé de numéro depuis, mais non. Répondeur. Et je ne m'étais rien préparé à dire.

– Allô, Julianne, c'est Louis. Euh. Ben. Louis, ton ex. Ça fait longtemps... J'espère que tu vas bien. Je t'appelle parce que j'ai un problème. Je sais pas trop comment t'expliquer ça, je sais que tu vas rire, mais je pense que j'ai un fantôme chez moi. À l'Orphéon. J'ai croisé ton amie Lisabeth l'autre jour mais j'ai pas osé lui demander si elle avait remarqué des drôles d'affaires au troisième, je me suis dit que j'aurais l'air niaiseux. Ou cinglé. Je sais que ça peut sonner comme un prétexte improbable pour te revoir mais c'est pas ça du tout, je te jure que c'est pas une blague. Je capote un peu, là. Bref, j'aimerais ça si tu pouvais passer, mais je comprendrais si tu voulais pas. Donne-moi des nouvelles ! Rapidement, si possible. Ce serait gentil. Euh. Bon ben. Bye.

J'ai raccroché. Le stress m'avait fait oublier absolument tout ce que je venais de lui raconter. Lui avais-je laissé mon numéro de téléphone ? Peut-être pas. Le courage me manquait pour la rappeler. Et puis elle avait mon adresse de courriel. Elle savait où j'habitais.

Plus j'y pensais, plus la raison de mon appel était vague. Et stupide. Et vaine. Elle ne comprendrait pas du tout pourquoi je voulais la voir. Je n'étais même pas certain de comprendre moi-même. À ce que je sache, elle n'était pas devenue chasseuse de fantômes. Elle n'allait pas entrer ici et s'élancer dans la pièce à débarras pour débusquer un spectre vêtu d'un drap blanc qui agite ses chaînes en faisant des « ouuu ouuuuu » et le faire fuir à coups de balai. Peut-être que j'avais simplement envie de parler à quelqu'un. Avoir su comment, il est probable que j'aurais effacé ce message pour le remplacer par quelque chose de plus élégant ou, à tout le moins, plus cohérent.

Trop tard.

Je me suis demandé ce que je pouvais faire d'autre. J'hésitais entre embaucher un exorciste, mettre le feu au loft ou déboucher un chablis. Je me suis relevé lentement, content de savoir que je ne m'étais pas blessé le dos, et je me suis assis devant l'ordinateur pour voir ce que les caméras avaient capté. J'ai reculé l'enregistrement du salon – caméra 4 – et je me suis repassé ma chute à l'endroit et à l'envers, à vitesse normale et au ralenti, puis image par image.

Il y avait moi, qui tombais de façon disgracieuse. Moi, et rien d'autre. Même le nez collé sur l'écran, je ne voyais rien d'anormal ; la silhouette qui m'avait effrayé n'avait laissé aucune trace de son passage. J'avais l'air de me jeter sur la table sans raison apparente. Un individu psychologiquement instable victime d'une hallucination. Un dingue. J'aurais fait un malheur sur YouTube.

J'ai débouché un chablis.

* * *

J'avais entrepris de me soûler en douceur, en buvant sans hâte mais de façon régulière, dans l'espoir de passer une bonne nuit de sommeil noyé dans une brume éthylique. Je m'étais installé sur la terrasse avec mon livre et je n'étais rentré dans l'appartement que pour ouvrir au livreur de sushi, me choisir une deuxième bouteille de vin et prendre une veste à capuchon. Le vent s'était levé et la soirée était fraîche, mais qui sait si je n'allais pas m'endormir sur ma chaise longue.

Dans le placard, tous les cintres étaient vides. Les vêtements censés y être suspendus traînaient par terre. Je ne me suis même pas donné la peine de visionner l'enregistrement – caméra 2 –, me doutant que je n'y trouverais rien. J'ai ramassé la première veste que j'ai repérée dans la pile et, en me retournant, j'ai observé tout ce qui m'entourait. Cette chaise était-elle dans la position où je l'avais laissée ? Les télécommandes étaient-elles là où je les avais déposées ? Quand est-ce que ce coussin s'était retrouvé par terre ? Quand avais-je allumé ma lampe de lecture ? Comment cette bouteille vide avait-elle roulé jusque devant le réfrigérateur, loin du bac de recyclage dans lequel je me souvenais de l'avoir déposée ? Tout me paraissait étrange et différent. Je remarquais sur les murs et les portes des égratignures que je n'avais jamais vues. Des traces de doigts. J'entendais des bruits de toutes sortes dont je n'arrivais pas à trouver l'origine.

J'ai replacé le grand tableau rouge et noir de Yuji Karasu qui habillait le mur du salon. Il penchait vers la gauche et je me demandais comment j'avais fait pour le déplacer alors qu'un sofa en bloquait l'accès. C'est en me reculant pour voir s'il était bien droit que j'ai remarqué un détail pourtant évident qui m'avait échappé jusque-là : dans la partie inférieure du tableau, complètement noire, une silhouette se détachait du reste, simplement par la façon dont la lumière soulignait les coups de pinceau. J'avais investi vingt mille dollars dans l'achat de cette toile sans voir ce qu'il y avait dessus.

Avec ce nouveau détail, je trouvais la peinture plutôt inquiétante. Je ne comprenais pas comment cette forme humaine tapie dans le noir m'avait échappé alors que maintenant je ne voyais que ça.

*L'éclairage.*

L'éclairage avait changé. Ma lampe de lecture sur pied, qui était depuis toujours derrière le sofa, du côté gauche, était maintenant du côté droit. Et je savais que ce n'était pas moi qui l'avais déplacée. Quelqu'un l'avait posée là dans le but précis de me montrer ce détail du tableau.

Je n'ai touché à rien et je suis retourné sur la terrasse. Je sentais que mon espace était envahi, et ça ne me plaisait pas beaucoup. D'autant plus que j'ignorais ce qui l'envahissait.

Je me suis étendu sur ma chaise longue de façon à ne pas voir à l'intérieur du loft et j'ai repris mon livre. J'ai d'abord eu de la difficulté à rester concentré, luttant contre l'envie de me retourner brusquement pour vérifier si les meubles se déplaçaient en dansant, mais je me suis laissé gagner par l'intrigue. Et j'ai fini par m'endormir.

Je me suis réveillé parce que j'avais mal au dos. J'étais en train de glisser lentement en bas de ma chaise et mon livre me meurtrissait les côtes. J'avais l'air d'un contorsionniste amateur. Après un bref moment de confusion – quelle heure est-il, qu'est-ce que je fais ici –, je me suis redressé en grognant. Il faisait nuit. J'étais étourdi à cause de l'alcool. J'ai regardé dans le loft et je suis rentré prudemment. Advil, grand verre d'eau, brossage de dents, soie dentaire. J'ai laissé les rideaux ouverts ainsi qu'une lumière allumée au-dessus de la cuisinière au gaz. Dormir dans l'obscurité totale ne me plaisait pas. Je me suis assuré que les caméras fonctionnaient et je suis allé me coucher dans mon lit. Ivresse aidant, je me suis vite senti basculer dans un sommeil profond, et j'ai souhaité que les phénomènes étranges me laissent dormir en paix.

Il a peint toute la nuit dans son atelier de la rue Gröbenufer, sur les berges de la rivière Spree. À genoux, sans relâche, à se déplacer d'un côté et de l'autre de la toile posée par terre, jusqu'à ce qu'il ait terminé. L'œuvre finale, qui fait un mètre et demi en largeur et trois mètres en hauteur, est toujours au sol. Il l'observe attentivement, comme s'il était dépassé par le résultat. Il fume et boit du café, et les muscles de son bras droit tremblent d'avoir trop travaillé. Ses vêtements sont tachés, autant que le vieux fauteuil en cuir gris sur lequel il est assis. Il est absorbé tout entier dans la contemplation de sa toile, c'est à peine s'il remarque que le jour se lève.

Une toile abstraite, pour celui qui ne ferait qu'y jeter un coup d'œil rapide. Une partie noire et une partie rouge. Un sol carbonisé, un ciel en flammes, pour qui se donne la peine de bien regarder. Et, dans la partie du bas, celle peinte en noir, on remarque une forme fantomatique, qui ne se distingue de l'ensemble que par les coups de pinceau qui vont dans une direction différente que celle du reste. C'est si subtil qu'il faut que la lumière tombe sur la toile dans un certain angle bien précis, sinon on ne la voit pas. Une silhouette enfantine. Miya.

Yuji échappe sa tasse de café qui se brise en trois morceaux sur le plancher de béton. Il ne le remarque même pas. Il pleure. C'est la première fois qu'il se laisse inspirer par la mort. Il n'y a aucun mot pour expliquer pareille horreur mais, heureusement, il y a la peinture. Du rouge et du noir, étalés sur la toile à grands coups de pinceau, comme d'autres frappent dans les murs en criant leur rage, leur impuissance et leur incompréhension.

Il se lève et se dirige vers la salle de bain en se déshabillant pour aller sous la douche. Il revient sur ses pas, regarde une fois encore la toile et remarque la tasse par terre. Il ramasse les morceaux et les pose sur le comptoir de la cuisine. Il se demande ce qu'il s'en allait faire. *Ah, oui, prendre une douche.* Il regarde l'heure et constate qu'il est en train de se mettre en retard. Il doit se rendre présentable et entasser quelques articles dans son sac de voyage. Il veut tout faire en même temps et cherche où il a mis son passeport alors qu'il est juste sous son nez. Pris de vertige, il s'accroche au comptoir de la cuisine pour éviter de tomber. Son vol pour le Québec est dans moins de trois heures. Il doit rejoindre Katsumi et, ensemble, ils assisteront à l'enterrement de leur fille.

Je me rappelle avoir entendu les Télétubbies et m'être vite rendormi. Cette émission débile n'était-elle pas passée de mode ? Encore combien d'années allaient-ils la diffuser en reprise ? Quand j'ai fini par me réveiller, vers dix heures, la télé était toujours allumée. J'ai mis en marche la machine à café et je suis allé à la salle de bain en me penchant pour ramasser un petit animal en origami, comme si ça faisait partie d'une routine bien établie. Je l'ai examiné en urinant. Un éléphant avec la trompe en l'air. Un porte-bonheur, selon les Asiatiques et les joueurs de bingo. Je l'ai jeté dans la cuvette et j'ai tiré la chasse.

J'avais faim. Je me suis versé un grand bol de céréales et j'en ai mangé quelques bouchées avant de couper un pamplemousse rose en deux. J'ai tiré les rideaux, qui n'étaient pas censés être fermés. Je n'allais pas m'inquiéter pour si peu. J'ai terminé mon déjeuner baigné dans la lumière du soleil.

J'ai repensé aux caméras. Je me suis installé au comptoir de la cuisine avec l'ordinateur pour savoir si j'avais enregistré quelque chose d'intéressant. J'ai appuyé sur la fonction qui me permettait de voir simultanément les images des quatre caméras, dans les moments où elles avaient détecté du mouvement.

Elles s'étaient activées quand j'étais entré pour me brosser les dents et aller me coucher. Et la caméra 2 m'avait filmé par intermittence quand dans mon sommeil je passais d'une position à une autre. Je dors sur le dos et je ronfle beaucoup plus fort que je l'imaginais.

J'ai versé le café dans ma tasse et j'ai fait mousser le lait sans remarquer ce qui se passait. Quand j'ai reporté mon attention sur l'écran, après une première gorgée plutôt satisfaisante, une forme noire se déplaçait sur la caméra 1. J'ai failli en échapper ma tasse. J'ai reculé l'enregistrement et je l'ai mis au format plein écran afin de mieux voir ce que c'était.

Et ce que j'ai vu m'a glacé le sang.

L'enregistrement débutait à trois heures quinze, dans la nuit, alors que quelque chose sortait de la pièce à débarras. Les rideaux étaient fermés et je ne distinguais à peu près rien. J'ai ajusté quelques paramètres pour améliorer l'image. C'était une femme. Pas très grande. Ça pouvait aussi être une fillette. Accroupie. Maigre, avec de longs cheveux noirs, à demi cachée sous une couverture, comme si ça pouvait l'aider à se dissimuler. Elle refermait doucement la porte derrière elle puis, à quatre pattes, en rampant presque, elle entrait dans la salle de bain en jetant des regards en direction du lit. Mon lit. Celui dans lequel j'étais couché au moment de son passage. Elle s'assurait que je dormais toujours et fermait la porte. Ensuite, plus rien. L'enregistrement reprenait après une pause d'une dizaine de minutes. Avec la même prudence, les mêmes regards inquiets lancés dans ma direction, elle faisait le trajet inverse et retournait dans la pièce à débarras, après avoir déposé un petit animal de papier devant la salle de bain.

C'était tout.

Les caméras n'avaient rien capté d'autre. Ni les rideaux qui se ferment, ni la lumière au-dessus de la cuisinière qui s'éteint. Et, si elles n'avaient rien capté d'autre, ça signifiait que la femme se terrait toujours là, à quelques mètres d'où j'étais. Je partageais mon espace avec elle depuis des heures, des jours peut-être.

Un sentiment de panique m'a vite gagné. Je ne pouvais pas rester un instant de plus dans le loft sachant qu'elle y était aussi. Un hurlement menaçait de sortir de ma gorge. J'ai filé à toute allure vers le lit, j'ai ramassé les vêtements qui me tombaient sous la main, mes clés, et cinq secondes plus tard j'étais parti. Je me suis habillé dans la cage d'escalier et je suis descendu en tentant de me composer un visage impassible, sachant que l'effroi se lisait dans mes yeux. J'avais les doigts glacés et de la sueur au front. J'espérais avoir l'air sain d'esprit, même si je n'étais plus certain de l'être.

Arrivé au rez-de-chaussée, j'ai repris mon souffle et je me suis coiffé les cheveux avec les doigts pour tenter d'y mettre de l'ordre. Je suis entré dans le hall. J'ai vu Straz s'affairer derrière la porte du Café Clochette mais, sinon, j'étais seul. L'agent de sécurité avait cette faculté d'être introuvable quand on avait besoin de lui. Je suis retourné d'où je venais et j'ai descendu un autre étage pour prendre ma Jeep dans le stationnement intérieur. J'ai roulé jusqu'au coin de la rue.

Ce n'est qu'à ce moment, après avoir éteint le moteur, que j'ai retrouvé assez de sang-froid pour me demander ce que j'allais faire. Je n'en avais pas la moindre idée. J'ai commencé par me remettre à respirer. J'avais le cou crispé et les doigts engourdis à force de serrer le volant trop fort. J'ai voulu appeler la police, mais je n'avais pas emporté mon téléphone dans ma fuite. J'ai tenté de comprendre ce que cette femme faisait dans ma pièce à débarras et comment elle s'y était prise pour entrer. Si son intention était de me voler et qu'elle avait dû se cacher en catastrophe parce que je rentrais chez moi, elle aurait pu fuir pendant la nuit. Mais elle prenait ses aises et se permettait même une visite à la salle de bain pendant que je dormais. Peut-être se préparait-elle des sandwichs qu'elle grignotait devant le téléviseur pendant mon absence.

Si elle souhaitait vivre en cachette dans un appartement qui n'était pas le sien, il aurait été plus logique qu'elle choisisse un meilleur endroit qu'un loft avec seulement deux pièces fermées. Mais il était possible qu'elle m'ait espionné pour connaître mes habitudes et qu'elle sache que je partais fréquemment en voyage.

Je me suis demandé où était le poste de police. Je ne l'avais jamais remarqué et je n'avais pas envie d'errer dans les rues jusqu'à ce que je tombe dessus. Mais plus j'y réfléchissais et moins je trouvais nécessaire de m'en remettre aux policiers. Après tout, je n'étais pas aux prises avec un monstre, ni même avec un homme dément et baraqué, mais bien avec une femme qui semblait frêle et sans arme. Une enfant, peut-être. Une escouade policière pour l'expulser de chez moi n'était probablement pas nécessaire. Je suis retourné garer la Jeep à la place de stationnement qui m'était désignée. Dans le hall, content de le voir, je me suis approché du gardien de sécurité qui était de retour à son poste.

— Réjean ?

— Rolland. Réjean est parti se coucher. Ça va bien, dites donc ? Vous m'avez l'air pâlotte.

Des deux agents de sécurité, qui étaient jumeaux, j'étais tombé sur le gentil. Pour une fois, j'aurais souhaité que ce soit Réjean qui soit de garde, parce que c'était lui le plus autoritaire.

— Rolland, j'ai besoin de votre aide. J'ai une femme dans ma salle de lavage.

— Pardon ?

— Une femme. Il y a une femme qui se cache dans ma salle de lavage. Dans mon loft.

Rolland me regardait avec un air incrédule.

— Chez moi. Au cinquième. Il y a une femme dans mon loft. Ou une fille. Je sais pas.

Il s'est lissé la moustache en fronçant les sourcils, l'air de se demander pourquoi je lui racontais tout ça.

— Vous comprenez ce que je vous dis ?

— Oui, oui. Mais je suis confus, là. Comment vous savez qu'elle est là si elle se cache ? Et elle se cache de quoi ?

J'ai soupiré en me demandant s'il n'était pas un peu con, puis j'ai tenté de me mettre à sa place. C'est vrai que mes propos paraissaient incohérents. Je lui ai résumé l'histoire. Les animaux en origami, les phénomènes étranges, l'installation des caméras. Voyant qu'il ne semblait pas vouloir bouger de son poste, je me suis impatienté.

— J'aimerais bien que vous m'aidiez à la mettre dehors. Vous avez une arme ?

— Ben, euh, non.

— Même pas un Taser ? Un aérosol au poivre de Cayenne ? Une matraque ?

Il s'est enfin levé le cul de sa chaise, a ouvert un tiroir et en a sorti une lampe de poche, le gros modèle, en acier. Il m'a regardé pour avoir mon avis. J'ai hoché la tête d'un air satisfait et nous sommes grimpés dans l'ascenseur.

— Je vous avertis, là, hein. Je vais pas me mettre à varger sur une femme à coups de *flashlight* !

J'espérais qu'on n'allait pas en arriver là. Je me suis fait rassurant, mais je n'avais aucune idée de ce qui allait se passer dans les prochaines minutes. Mes mains tremblaient.

Arrivé devant ma porte, j'ai signifié à Rolland d'un signe de la main qu'il pouvait entrer le premier, ce qu'il a fait sans hésiter. La curiosité qu'il avait de visiter un appartement de millionnaire se lisait sur son visage. Il a jeté des regards dans toutes les directions, s'attendant peut-être à fouler de l'or et du marbre. Des tableaux de Dali ou de Magritte auraient été des signes plus éloquents de ma richesse que ceux de Vince ou de Yuji Karasu, mais je choisissais selon mes goûts plutôt que pour épater les rares visiteurs. Il m'a semblé déçu. Je l'ai invité à s'asseoir au comptoir qui séparait la cuisine de la salle à manger pour lui montrer ce que la caméra avait capté. J'aurais dû m'y attendre : le dossier était vide, les enregistrements avaient disparu. J'ai fouillé dans l'ordinateur à la recherche des fichiers pendant que Rolland déambulait dans le loft. Il examinait un tableau, caressait le cuir d'un sofa, admirait le panorama. J'étais incapable de me concentrer, alors j'ai laissé tomber. J'ai invité le gardien de sécurité à enlever ses doigts du tableau de Yuji Karasu et à me suivre dans la pièce à débarras.

Cette toile, simplement intitulée *M*, Yuji projette de la brûler. Il ne pense plus qu'à ça. La mort lui a arraché sa fille et, en retour, dans un geste futile et désespéré, il lui faut détruire quelque chose. Le voyage l'a épuisé mais cette idée lui redonne de l'énergie. La sortir de l'atelier par la grande porte de garage, la jeter au fond de la cour, y répandre de l'essence, craquer une allumette et la lancer dessus. Regarder les flammes la dévorer jusqu'à ce qu'il n'en reste rien. Et, ensuite, aller dormir. Des jours entiers.

Après un temps d'attente relativement court à la douane, il sort de l'aéroport Brandenburg et respire enfin une grande bouffée d'air frais. Le voyage est terminé. Il prend le temps de fumer une cigarette. Il écrase le mégot sous son talon et monte dans un taxi en déposant son sac de cuir sur la banquette, près de lui. Il donne l'adresse de son appartement et le chauffeur, d'habitude jovial, voit tout de suite dans le visage triste de son client qu'il n'a pas envie d'engager la conversation. Il se tait donc et, à tout hasard, monte le volume de la radio pour dérider son passager. Mais même un vieux succès de Hall & Oates n'arrive pas à détendre l'atmosphère. Il n'insiste pas et éteint la radio. Le reste de la course se fait en silence.

Yuji ne se donne même pas la peine de monter à son appartement et se dirige vers l'atelier, situé juste en dessous. La porte est déverrouillée. Il entre prudemment, inquiet, en espérant ne pas tomber sur un cambrioleur. Fausse alerte. C'est son agent qui est là, Bastian Link, un grand Berlinois blond toujours vêtu d'un pantalon cigarette rouge ou bleu, d'un chandail de marin et d'un gros foulard. Il est avec une femme que Yuji reconnaît tout de suite : Millie Pereira, une galeriste de Montréal qui expose souvent ses toiles. Une brunette, mi-quarantaine, qu'on reconnaîtrait rien qu'au bruit caractéristique que font ses bracelets quand elle bouge. Les deux sont penchés sur *M*, toujours par terre au milieu de l'atelier.

— Non, non, non. Elle est pas à vendre.

Bastian et Millie se retournent. Ils s'approchent de Yuji et le serrent dans leurs bras en lui offrant leurs condoléances. Yuji les remercie et, sans plus attendre, farfouille sous son établi en ne s'occupant plus d'eux.

— Vous pouvez m'aider à sortir la toile ? Je vais la brûler. Il me semble que j'avais un bidon d'essence quelque part ici.

L'agent et la galeriste se regardent, aussi surpris de l'affirmation de Yuji que du ton détaché sur lequel il l'a prononcée. Bastian est le premier à rompre le silence de malaise qui s'est installé.

— On va pas faire ça, Yuji. Elle est incroyable, la toile. Millie la veut pour sa galerie, avec quelques autres.

Millie intervient prudemment.

— On les a mises de côté, sur le mur du fond. Il y en a cinq, plus elle. Six en tout, donc.

— Non. Les autres, oui, mais elle, non. Ouvrez la porte de garage. On va faire un joli feu.

Bastian se racle la gorge. De voir le grand Yuji Karasu à quatre pattes devant son établi à farfouiller pour trouver de quoi détruire une de ses œuvres lui noue l'estomac. Il se déplace pour se mettre entre le peintre et sa toile, à tout hasard, au cas où il tenterait de la démolir en se jetant dessus ou Dieu sait quoi encore. Mais Yuji, un bidon vide à la main, s'est laissé tomber sur le dos, complètement lessivé. Ce n'est que par épuisement qu'il capitule.

— Sortez-la d'ici. Faites-en ce que vous voulez. Je veux plus jamais la voir.

Rassurés, Bastian et Millie soulèvent la toile et la placent avec les cinq autres. Ils discutent à voix basse, hésitant entre aider Yuji à monter à son appartement ou le laisser là pour qu'il se repose. Leurs avis divergent sur cette question, mais il y a consensus pour aller porter *M* sans plus attendre dans la camionnette de Bastian.

Juste au cas où Yuji retrouverait ses forces et changerait d'idée.

Ensuite, on verra.

J'ai ouvert la porte de la pièce à débarras et j'ai tendu le bras à l'intérieur pour actionner l'interrupteur. Tout était calme dans le petit espace sans fenêtre. À gauche en entrant se trouvaient la laveuse et la sécheuse, avec des armoires installées au-dessus. Je les ai ouvertes, même si je savais qu'à moins d'être contorsionniste il était impossible de s'y dissimuler. Le mur de droite était couvert d'étagères qui contenaient des outils et de menus objets qui me servaient peu ou plus du tout. Devant les tablettes s'entassaient les trucs encombrants comme une pelle, deux parapluies brisés, des skis poussiéreux, le tuyau et le manche de l'aspirateur central, et quelques boîtes de souvenirs que je n'avais pas encore ouvertes depuis mon emménagement. La seule cachette possible était dans le placard du fond.

Rolland s'en est approché très doucement, en retenant son souffle. Ni lui ni moi n'étions pressés d'en ouvrir les portes coulissantes, mais on n'allait pas non plus y passer la journée. Je lui ai fait signe qu'il pouvait y aller. Il a brandi sa lampe de poche comme une matraque et a lentement approché ses doigts de la poignée. Après avoir respiré un grand coup, il a poussé la porte de droite, qui a glissé sur son rail jusqu'à l'autre bout du placard.

À l'intérieur il y avait beaucoup de manteaux d'hiver, dont quelques-uns que je ne portais plus, deux gros sacs remplis de vêtements que je n'étais pas encore allé déposer à l'Armée du Salut, des boîtes de paperasses et, malgré la tension, je me suis dit qu'un petit ménage dans tout ça ne ferait pas de mal. Sur l'étagère du haut, une vieille couverture camouflait quelque chose. Dans mon souvenir, cette couverture était pliée. Rolland a tiré dessus et nous avons hurlé en même temps. Il a reculé sans prendre le temps de regarder derrière et a renversé la pelle, les skis et les parapluies. Sa lampe de poche a roulé à mes pieds. Je l'ai ramassée et j'ai reculé aussi, pendant que Rolland retrouvait son équilibre, encore effrayé, incapable de quitter la femme des yeux. On ne voyait que le haut de son corps. Elle était étendue là, sur la tablette en haut du placard, et nous regardait avec un air aussi apeuré que le nôtre. La surprise passée, elle a entrepris de sortir de sa cachette, en déplaçant les portes vers la droite puis en se laissant glisser au sol les jambes en premier. Elle était très maigre, le visage d'une pâleur sinistre et les lèvres gercées, pieds nus, simplement vêtue de jeans et d'une chemise noire. Ses cheveux longs, en bataille, semblaient ne pas avoir été lavés depuis longtemps. Asiatique, elle devait avoir à peu près mon âge et les cernes sous ses grands yeux noirs laissaient paraître sa fatigue. J'étais stupéfait d'avoir devant moi la personne qui m'avait causé tant de soucis dans les derniers jours, qui avait même failli me faire croire aux fantômes. J'avais mille questions à lui poser et j'ignorais par où commencer. Mes émotions se bousculaient et j'étais ballotté entre colère et curiosité, entre indignation et soulagement. C'est Rolland qui a pris la parole en premier.

— Madame Sato ! Mais qu'est-ce que vous foutez là ?

Elle fouillait dans le haut du placard pour récupérer ses souliers, une vieille paire de Converse noires. Elle les a enfilés avant de répondre.

—Je suis désolée. Je m'en vais.

J'ai demandé au gardien d'où il la connaissait.

— C'est Katsumi Sato. Elle habitait ici dans le temps où il y avait deux appartements sur l'étage, avant que vous fassiez votre loft.

Elle a sorti un sac en toile du placard et s'est dirigée vers la porte sans nous regarder.

— Vous allez pas partir comme ça ? Je crois que j'ai le droit de savoir ce que vous faites chez moi !

— Vous pourriez pas comprendre.

— Je peux essayer !

Sa remarque avait piqué mon orgueil. Dans les derniers mois de ma relation avec Julianne, elle terminait la plupart des conversations en prenant un air dégoûté et me disait que ça ne donnait rien d'essayer de discuter avec moi, que je semblais faire exprès pour ne rien comprendre. Mauvais souvenirs.

Elle est sortie du loft et s'est élancée dans le corridor, pas du tout intéressée à nous raconter son histoire. Elle paraissait faible et démunie, en panique comme un animal blessé, et je me voyais mal la retenir de force et appeler la police. Elle a appuyé une dizaine de fois sur le bouton de l'ascenseur. Je suis resté debout sans bouger devant mon appartement pour qu'elle comprenne que je n'allais pas tenter de la rattraper.

— Comment vous êtes entrée ?

Elle m'a dévisagé un instant, l'air de se demander si j'étais apte à recevoir la réponse. Elle ne m'a répondu qu'au moment où les portes de l'ascenseur se refermaient sur elle.

— C'est ma fille qui m'a ouvert.

Je me suis tourné vers Rolland.

— Sa fille ? Sa fille se cache aussi dans mon appartement ?

Il était troublé.

— Je pense pas, non. Juste avant leur déménagement, sa fille est morte. Leucémie.

J'ai regretté de l'avoir laissé partir. Elle emportait beaucoup trop de secrets avec elle. J'ai couru dans le corridor et j'ai dévalé les escaliers aussi vite que je pouvais. Je suis sorti de l'Orphéon en trombe et j'ai jeté des regards de tous les côtés sans la voir. J'ai fait le tour de l'édifice, je suis descendu pour inspecter le garage, mais elle était introuvable. L'agent de sécurité m'a rejoint dans le hall de l'immeuble.

—J'ai regardé en vitesse, il y a personne d'autre de caché. Voulez-vous que j'appelle la police ?

J'ai décliné l'invitation, puisqu'il n'y avait personne à arrêter. Je l'ai remercié pour son aide et j'ai regagné mon appartement. La première étape pour retrouver ma tranquillité d'esprit : une fouille complète du loft. Je préférais ne pas me fier à Rolland et ainsi m'éviter une mauvaise surprise.

Je n'ai rien trouvé. J'ai appelé un serrurier pour qu'il remplace tous les verrous et un électricien pour réparer la sonnette que j'avais détruite. J'ai vidé le placard de la pièce à débarras en attendant qu'ils arrivent. Katsumi Sato y avait entassé des bouteilles d'eau, quelques petites choses à grignoter et des mouchoirs en papier. Il y avait aussi quelques feuilles de mon bloc-notes, sans doute destinées à faire de l'origami. J'ai tout jeté à la poubelle, du bout des doigts, avec une grimace de dégoût. De savoir que cette femme avait passé des journées entières cachée là, à quelques pas de moi alors que je vaquais à mes occupations quotidiennes, me donnait la chair de poule. Les gens sont fous.

Les réparateurs sont arrivés presque en même temps et je leur ai confié la sonnette et les serrures pendant que je lavais la tablette du placard avec de l'eau savonneuse. J'ai mis la couverture dans laquelle cette dingue s'était emmitouflée dans la laveuse. Lorsque j'ai eu en main mes nouvelles clés et une sonnette fonctionnelle, il ne restait aucune trace de son passage. Pour terminer, j'ai modifié le mot de passe du système d'alarme.

Je me suis senti chez moi. Enfin libéré.

J'avais l'intention d'appeler Solange Bourque dès le lendemain pour lui expliquer la situation, en l'assurant que tout était revenu à la normale, qu'elle pouvait maintenant reprendre l'entretien ménager du loft sans crainte. Il était fort probable qu'elle se laisserait convaincre. Pour l'heure, j'ai pris mes clés et j'ai filé avec la Jeep. J'avais envie d'une pizza et de quelques verres de pinot noir avant d'aller m'écraser dans une salle de cinéma. Je suis sorti du garage de l'Orphéon en sifflotant, l'esprit en paix.

À mon retour du cinéma, en fin de soirée, je suis entré chez moi avec désinvolture. Tout m'a semblé comme avant. La curiosité m'a quand même poussé jusque dans la pièce à débarras, où j'ai ouvert le placard pour m'assurer que personne n'y avait installé son campement. Définitivement rassuré, je me suis brossé les dents et je suis allé me coucher. Avec toute cette fatigue accumulée, j'espérais bien ne pas me réveiller avant midi.

Mais c'est dans la noirceur totale que j'ai ouvert les yeux.

J'avais fermé les rideaux avant d'aller au lit, alors il n'y avait pas de quoi s'inquiéter. C'est le silence qui m'a intrigué. Plus lourd qu'à l'habitude. Je me suis demandé à quoi c'était dû et, quand je me suis tourné vers mon réveil pour voir l'heure, j'ai compris qu'il y avait une panne d'électricité. Le réfrigérateur n'émettait aucun son, rien non plus du côté de ces petits appareils électriques dont on remarque les bruits qu'ils produisent seulement quand ils n'en font plus. J'ai bâillé et je me suis levé pour aller boire un verre d'eau. Ma chute a été spectaculaire. J'ai buté sur un soulier qui n'aurait pas dû se trouver là et quand j'ai tendu les bras, par réflexe, pour amortir le choc et éviter de me casser les dents, j'ai heurté ma chaise de travail qui elle non plus n'était pas à sa place. J'ai tenté de m'agripper à un des accoudoirs sans y parvenir, ce qui a propulsé la chaise à roulettes sur un mur pendant que je tombais sur les genoux. La douleur m'a fait pousser quelques sacres et, en me relevant, j'ai donné un coup de pied sur le soulier en sachant bien que cette vengeance n'aurait rien de satisfaisant. Je me suis dirigé vers la pièce à débarras pour y prendre une lampe de poche. J'ai marché prudemment, en glissant les pieds pour détecter les obstacles que je pourrais rencontrer en chemin.

Je me suis arrêté devant la porte, la main sur la poignée, sans oser la tourner. Une peur irrationnelle venait de s'emparer de moi. Le pressentiment qu'il m'arriverait malheur si je pénétrais dans cette pièce. Je savais que j'avais une lampe de poche dans une vieille boîte à souliers sur l'étagère, à droite en entrant. Je n'avais que trois ou quatre pas à faire pour l'atteindre, mais j'étais pétrifié. C'était complètement idiot, mais je n'y arrivais pas. Alors j'ai attendu. Que mon cœur retrouve sa vitesse normale, d'abord. Et puis que mon envie instinctive de fuir disparaisse. Une panne d'électricité n'avait rien d'alarmant. Un soulier ou une chaise qui se trouvaient à des endroits différents d'où je croyais les avoir laissés non plus. C'était la fatigue qui me rendait distrait et impressionnable, voilà tout. J'ai réussi à me calmer les nerfs, à me convaincre que j'étais seul dans le loft, que je n'allais pas sentir le souffle chaud d'un inconnu dans mon cou.

J'ai pris une grande respiration et je suis entré dans la pièce avant que le courage me manque. Je me souvenais d'où était la boîte à souliers, alors l'ouvrir et m'emparer d'une lampe de poche n'allait pas me prendre plus de cinq secondes, même dans l'obscurité. Trois pas. J'ai tendu une main et j'ai touché la boîte. J'ai jeté le couvercle par terre et j'ai fouillé. Lampe de poche. J'ai tenté de l'allumer mais les piles étaient mortes. Il y en avait une deuxième, ses piles étaient mortes aussi. J'étais fâché contre moi-même d'avoir été aussi négligent. J'ai farfouillé dans la boîte et j'ai mis la main sur un emballage de piles qui avaient l'air du bon format. J'ai déchiré le carton, j'ai dévissé le couvercle de la lampe et j'ai laissé tomber les vieilles piles par terre. J'ai mis les neuves dans un sens et puis dans l'autre et, enfin, j'ai eu de la lumière. J'ai fait quelques étirements pour assouplir les muscles de mes épaules et je me suis retourné pour sortir de la pièce.

La porte s'était refermée sans que je m'en rende compte. Et elle refusait de s'ouvrir.

J'ai tourné, poussé et tiré sans le moindre résultat et j'ai dû m'arrêter un instant pour réprimer une envie de paniquer. Je ne comprenais pas comment c'était possible d'être enfermé ici alors que cette porte n'avait aucun verrou. Mon esprit était confus et désorganisé, je n'arrivais pas à réfléchir de façon constructive, mais je sentais que j'allais perdre la boule si je restais là trop longtemps sans bouger. Alors j'ai sorti un marteau de mon coffre à outils et j'ai frappé sur la poignée. Mes coups ne faisaient aucun dommage, le marteau se contentait souvent de glisser d'un côté ou de l'autre. Je n'ai pas eu plus de succès en frappant directement sur la porte, qui était faite d'un bois solide qui résistait à mes attaques. J'ai vite abandonné cette idée et je me suis assis sur une boîte de carton remplie de livres pour reprendre mon souffle et tenter de réfléchir.

J'ai entendu le *klaklak* du distributeur à glaçons et le bruit qu'ils faisaient en frappant le sol. Je savais qu'il n'y avait personne dans le loft. Cette machine, qui n'était pas censée fonctionner sans électricité, semblait partie pour ne s'arrêter qu'une fois vide. Et c'est ce qui s'est passé. Après quelques minutes, le calme est revenu. Je me suis à nouveau approché de la porte et, après avoir tenté d'en tourner la poignée sans succès, j'y ai collé l'oreille pour savoir s'il se passait autre chose. Il y a eu un coup sur la porte, comme si on l'avait frappée avec un bâton de baseball. Un coup si violent qu'il m'a fait hurler de peur. J'avais les oreilles qui bourdonnaient et les autres coups, cinq ou six, aussi violents que le premier, m'ont paru feutrés.

J'ai commencé à craindre pour ma vie. Ce qui se trouvait là, derrière cette saleté de porte qui refusait de s'ouvrir, me voulait du mal. J'étais un indésirable chez moi, dans mon loft. Je ne croyais pas avoir affaire à cette femme, cette Katsumi Sato, qui serait revenue pour déplacer des objets et débrancher l'électricité sans raison apparente. Il m'était de plus en plus difficile de nier l'évidence : même si ça me rassurait de le penser, certains phénomènes auxquels j'avais assisté dans la semaine ne s'expliquaient pas par sa simple présence dans ma pièce à débarras. Je suis retourné m'asseoir sur ma boîte de carton.

J'entendais les meubles qu'on glissait d'un bout à l'autre de l'appartement, les chaises qu'on renversait, les tissus qu'on déchirait. Je m'inquiétais à l'idée de voir des objets bouger de mon côté, dans cette pièce pour l'instant épargnée par cet inexplicable chaos, et je me tenais prêt à me jeter par terre dès que j'apercevrais quelque chose voler dans ma direction. Il m'était impossible d'échafauder un quelconque plan d'évasion alors que de lourds livres d'art s'écrasaient au sol, du verre éclatait, du bois craquait et se fendait.

Le tumulte a duré quelques minutes et puis le calme est revenu. Sans doute qu'il ne restait rien à démolir.

Ma lampe de poche était toujours allumée et je me suis inquiété de la longévité des piles ; s'il fallait que la lumière vienne à s'éteindre, dans l'état où j'étais, avec ma fatigue et les nerfs à fleur de peau, je deviendrais probablement fou et on me retrouverait mort de peur, les ongles plantés dans la porte, dans une ultime tentative pour m'enfuir du loft. J'ai cherché un gros sac de bougies chauffe-plats qui me servaient à décorer la terrasse les soirs où il y avait peu de vent. Il était au fond d'une caisse de champagne Krug qui, comme je m'en doutais, ne contenait pas d'allumettes. J'étais également déçu qu'elle ne contienne plus de champagne. J'ai passé en revue quelques boîtes poussiéreuses avant de trouver un briquet dans un sac où s'entassaient pêle-mêle des accessoires de couture, de vieux ustensiles de cuisine et des aimants de frigo ramenés de mes nombreux voyages, souvenirs inutiles que je n'avais donnés à personne. J'ai allumé une dizaine de bougies que j'ai regroupées sur la machine à laver. Ça me faisait une belle ambiance romantique, qui contrastait avec mon envie de fendre la porte à coups de hache pour fuir sans un regard en arrière. J'ai éteint la lampe de poche, je l'ai déposée sur une tablette et je suis retourné m'asseoir sur ma boîte.

*Et maintenant, je fais quoi ?*

Je me suis appuyé le dos sur le mur et j'ai allongé mes jambes. Aussi bien m'installer à mon aise en attendant que me vienne une idée.

Et, après un temps assez long que je ne saurais évaluer, une heure, peut-être deux, une idée m'est venue. J'avais tout un tas de paperasses d'impôts et de relevés de transactions financières dans un classeur au fond du placard. Avec ma lampe de poche dans une main, j'ai passé son contenu en revue. J'ai fini par trouver les ententes signées avec les anciens locataires du cinquième, et plus particulièrement celle de Katsumi Sato. Avec ses coordonnées.

J'avais dans l'idée que les phénomènes dans le loft avaient rapport à elle, sans que j'arrive à comprendre le lien. Chose certaine, aucune force étrange ne s'était déchaînée sur le mobilier au moment où elle était ici, cachée dans un placard. Mon intention était de l'appeler pour qu'elle revienne et qu'on discute calmement, que je puisse enfin avoir quelques réponses à mes questions. Mais j'ignorais comment j'allais pouvoir sortir de cette pièce. J'y réfléchissais toujours quand j'ai entendu des grattements derrière la porte, comme si quelqu'un y donnait des petits coups avec un ongle.

*Ou avec un crayon à colorier.*

J'ai parié qu'il était vert.

C'est à cet instant précis, en entendant ce bruit, que j'ai compris que je n'avais plus d'autre choix que de laisser de côté mon esprit cartésien et d'accepter l'impossible. Le loft était hanté. Voilà. Comme Julianne, je faisais maintenant partie d'un groupe de privilégiés qui avaient vu des phénomènes paranormaux d'assez près pour finir par y croire.

Il y avait cette phrase, dite par Katsumi Sato, qui me trottait dans la tête : « C'est ma fille qui m'a ouvert. » Je me suis levé pour m'approcher doucement de la porte.

—Allô ?

Les grattements se sont interrompus un court moment avant de reprendre. Pas de coup violent, pas de meuble qui se fracassait sur un mur. C'était un début.

—J'aimerais appeler ta mère. Pour lui demander de revenir.

Les grattements ont cessé de nouveau. J'ai présumé qu'on m'écoutait et que l'offre paraissait intéressante.

—Je vais avoir besoin de mon téléphone. Je pense qu'il est sur ma table de travail. Mais il a peut-être changé de place depuis la tornade. Bref. Tu peux le déposer devant la porte, je te promets que je sortirai pas d'ici avant que ta mère arrive.

Il y a eu un coup et ensuite un autre bruit, un objet qui frottait sur la porte et glissait jusqu'au sol. Mon téléphone. J'ai attendu un instant et j'ai mis la main sur la poignée.

—Je vais ouvrir, là. Juste un peu. Inquiète-toi pas, je bouge pas d'ici.

Et c'était vrai : j'étais beaucoup trop effrayé par ce qui pouvait m'arriver si je tentais de sortir. La poignée tournait. Je me suis accroupi et j'ai ouvert très lentement. Mon téléphone était par terre, à portée de main. Je l'ai pris d'un geste rapide et j'ai refermé sans attendre.

— Merci.

Le silence en guise de réponse. Ça me suffisait. Dialoguer avec « l'entité » ne me mettait pas particulièrement à l'aise. J'ai allumé mon téléphone et je me suis senti reconnecté avec le monde. Ma ligne fonctionnait, ma connexion internet aussi. Il était trois heures vingt-six. Les grattements sur la porte avaient repris.

Katsumi Sato a répondu à la deuxième sonnerie. Dans le ton de sa voix, il y avait l'assurance calme et lucide de quelqu'un qui ne dormait pas. Comme si elle attendait mon appel. Elle n'a même pas voulu d'explications quand je lui ai demandé si elle pouvait venir me voir dans les plus brefs délais. Elle habitait à deux heures de route et m'a assuré qu'elle partait tout de suite.

J'ai raccroché et j'ai résumé l'état de la situation à haute voix. Sans trop savoir d'où ils venaient, j'ai eu trois coups sourds en guise d'approbation.

Je tentais de déplier une chaise de camping pour m'y asseoir en attendant Katsumi quand j'ai vu la poignée tourner et la porte s'ouvrir. On me donnait la permission de sortir. L'électricité est revenue. J'ai soufflé les chandelles et je suis sorti de la pièce en faisant de petits pas prudents, en contournant les piles de vêtements et de livres. Rien ne semblait vouloir se jeter sur moi.

Avec les meubles renversés et les sofas qui paraissaient avoir été déchirés au couteau, le loft avait des airs de lendemain d'apocalypse. La couette et le matelas étaient éventrés, et de la mousse et des plumes d'oie étaient répandues autour du lit. Le plus surprenant, c'était les coups de crayon vert. Il y en avait sur tous les murs. De petites rayures obliques, en quantité vertigineuse, toutes du même vert pelouse, grimpaient du sol au plafond. J'ai décroché mon Vince, fendu en son centre, pour constater que les rayures continuaient derrière, ininterrompues, comme si le tableau n'avait pas été là. Les petites œuvres encadrées gisaient par terre, sous les débris. Seul *M*, l'énigmatique tableau de Yuji Karasu, était intact.

J'ai retrouvé mon ordinateur près du vélo elliptique, sous le ballon de Pilates fendu et dégonflé. Il fonctionnait encore et ça m'a réjoui. Ce n'est pas tant l'appareil que la somme des données qu'il y avait dedans que j'aurais trouvé dommage d'avoir perdue. À part les tableaux, uniques et irremplaçables, le reste n'était que du matériel auquel je n'avais aucun attachement particulier.

Il n'y avait personne. Pas même une silhouette noire tapie dans un coin. Le calme après la tempête. Je me suis habillé avec quelques vêtements qui traînaient çà et là et je suis sorti prendre l'air sur la terrasse. La nuit était fraîche et tranquille. Je me sentais seul, fatigué, fragile, et c'est uniquement à cause de l'heure tardive que je me suis retenu d'appeler Julianne. Je savais que c'était une idée stupide, et peut-être n'était-ce pas d'elle que je m'ennuyais, mais simplement de quelqu'un à qui raconter ce qui m'arrivait. Une présence humaine. Humaine et vivante. Quelqu'un qui prendrait la chose à la légère en me disant que tout irait bien.

Je me suis étendu sur une chaise longue et j'ai patienté en regardant les étoiles. Trop stressé pour dormir, trop fatigué pour faire quoi que ce soit d'autre. J'ai tout de même somnolé ; quand j'ai entendu la sonnette, j'ai d'abord cru qu'il ne s'était écoulé que quelques minutes depuis mon appel. Mais il était presque six heures et le soleil était levé. Je me suis tapoté les joues pour me réveiller un peu avant d'ouvrir.

Katsumi Sato avait meilleure mine qu'à notre dernière rencontre. Elle était propre, coiffée, légèrement maquillée et ne montrait plus de signes de déshydratation. Avec sa jupe à motifs, son chemisier noir et ses bottines de cuir, elle était même plutôt attirante. C'est l'immense tristesse dans ses yeux qui la rendait glaciale et inaccessible. Elle est entrée dans le loft en examinant les dégâts.

— Vous excuserez le désordre, j'ai pas eu le temps de faire le ménage.

— C'est Miya qui a fait ça ?

J'hésitais encore à tirer pareille conclusion. C'est Katsumi qui a tranché, en glissant une main sur un mur constellé de traits verts.

— C'est ça qu'elle aimait le plus dessiner. Du gazon. Elle en mettait dans tous ses dessins.

Elle a sorti quelques petits animaux en origami qu'elle a déposés avec des gestes délicats sur le comptoir de la cuisine, près de mon MacBook. Je lui ai demandé ce que ça signifiait. Elle m'a expliqué la légende des mille grues, puis m'a raconté les derniers jours de sa fille. C'était ce genre de vie qui me faisait apprécier la mienne qui, jusqu'à maintenant, avait été d'une remarquable facilité, sans drame familial ni morts tragiques.

— Elle est décédée à l'hôpital, mais il semble qu'elle soit revenue à la maison.

Ce n'était plus vraiment sa maison, ici, mais j'ai préféré me taire plutôt que de froisser Katsumi. Je lui ai demandé pourquoi Miya n'était pas allée la rejoindre dans leur nouvel appartement.

— Elle était à l'hôpital quand j'ai emménagé. Ici, c'est la dernière maison qu'elle a connue. Et puis j'imagine qu'avec votre tableau de Yuji, elle se sentait un peu chez elle.

— Pourquoi donc ?

— Vous le saviez pas ?

J'ignorais ce que j'étais censé savoir et qui, pour elle, était une évidence. Ça a paru sur mon visage.

— Yuji Karasu... Il a habité ici. C'est mon ex-mari. Le père de Miya.

— Ah bon ?

J'étais estomaqué de la coïncidence. Je me souvenais de l'effet que *M* avait produit sur moi le jour où je l'avais vu dans la petite galerie de Millie Pereira, à Montréal, dans le quartier Griffintown. Ça avait été un coup de cœur instantané, la première œuvre que j'avais achetée pour décorer mon loft. La fascination que le tableau avait exercée sur moi prenait une signification nouvelle.

— C'est dingue. Je le savais pas du tout. Ce que je sais, c'est que quand je l'ai vu j'ai eu peur qu'il soit déjà vendu. C'est difficile à expliquer, mais il fallait que j'aie ce tableau chez moi. Et j'imagine qu'il s'appelle *M* pour...

— Miya, oui. Yuji l'a peint en quelques heures, avant de revenir au Québec pour les funérailles.

Nous étions tous les deux debout devant l'œuvre, perdus dans nos pensées.

— Elle a l'air tranquille, quand vous êtes là.

— J'ai pas tout à fait compris la logique de l'affaire, mais je crois que c'est surtout quand elle a peur ou qu'elle est angoissée qu'elle se manifeste. Ma présence la rassure.

— Et comment vous avez su que Miya était revenue ici ?

— J'ai reçu des textos. De vous. C'est de cette façon-là qu'elle a réussi à communiquer avec moi.

— Ah bon ?

— Rien que des chiffres et des lettres, sans cohérence. J'ai vu votre nom sur l'afficheur et je me suis souvenue que vous étiez le nouveau propriétaire de l'immeuble. Je vous ai appelé pour savoir ce que vous vouliez. C'est elle qui a répondu. Je l'entendais pleurer, et puis elle m'a dit : « Maman, j'ai peur. » Ça m'a terrifiée, mais j'ai passé outre l'aspect irrationnel de l'affaire. Ma fille avait besoin de moi, c'était tout ce qui comptait. Je suis venue ici aussi vite que j'ai pu, ça fait environ trois semaines de ça. Vous étiez absent.

— J'étais à Londres.

— Oui, je sais, j'ai trouvé un document de réservation de vol sur votre babillard. Elle m'a ouvert la porte. J'avais pas l'intention de rester longtemps, juste le temps de trouver une façon de l'aider. Mais j'ai pas réussi. Je sais que c'est dur à croire, mais ma fille est prisonnière de votre appartement et elle ignore comment partir.

J'ai simplement fait un geste qui englobait le loft ravagé pour lui signifier que j'étais prêt à croire n'importe quoi.

— C'est idiot. Je parle d'elle comme si elle était encore vivante. Mais je peux pas me résoudre à la traiter de fantôme. Une âme égarée, peut-être. Sans défense et sans personne pour l'aider.

— Elle est plutôt forte, pour une âme sans défense !

Je l'ai dit sur un ton léger, mais Katsumi était vraiment désolée pour les dégâts. Elle s'est excusée comme si c'était de sa faute et je lui ai répété que j'avais les moyens nécessaires pour tout remplacer. Elle vivait bien assez de stress, c'était inutile qu'elle s'inquiète pour mon mobilier détruit.

— Elle était calme quand j'étais là. Je me suis installée dans votre salle de lavage, je dormais par terre. Je me suis aménagé un petit espace dans le garde-robe et je me suis cachée quand la femme de ménage est passée et quand vous êtes revenu de voyage.

— Vous comptiez passer le reste de vos jours cachée là-dedans ?

— Je... j'en sais rien. Je prenais ça au jour le jour. Je suis vraiment désolée. Je savais pas quoi faire. Je voulais pas vous causer d'ennuis.

— Ça va, je comprends tout à fait votre situation, malgré qu'elle soit peu banale... Vous en êtes à combien ?

Je pointais les animaux de papier. Elle m'a rendu le sourire que je lui ai envoyé, et j'ai pris conscience que l'ambiance dans l'appartement avait changé depuis son arrivée. Je ne saurais expliquer comment, mais l'atmosphère était moins oppressante. Comme si on avait ouvert le chauffage dans une pièce froide pour en chasser l'humidité.

— Six cents.

J'ai haussé les sourcils en hochant la tête pour démontrer mon admiration. J'ai eu la délicatesse de ne pas lui demander si ça incluait ceux que j'avais jetés dans les toilettes. Je lui ai offert à boire. À cette heure matinale et avec notre manque de sommeil, je ne savais pas s'il était trop tard pour l'alcool ou trop tôt pour le café. Elle a opté pour le café.

— Vous avez enregistré des trucs intéressants ?

Elle pointait une des caméras. J'ai pouffé de rire.

— À part vous, qui avez failli me faire mourir de peur, rien du tout. Je vous le montrerais bien, mais le fichier a disparu.

— Ça marche comment ?

J'ai ouvert l'ordinateur et je lui ai expliqué le fonctionnement. Les caméras n'étaient pas abîmées mais elles étaient maintenant orientées vers les murs, sauf celle installée dans le coin de la salle à manger, qui était presque arrachée et pendait en pointant dans notre direction.

J'ai épongé la flaque d'eau devant le réfrigérateur et j'ai préparé les cafés. La tempête avait fait peu de dommages sur le comptoir de la cuisine. La cafetière était intacte. Le grille-pain, le bloc de couteaux et les autres objets n'étaient qu'entassés pêle-mêle. J'ai remis de l'ordre pendant que Katsumi s'occupait avec l'ordinateur.

— Ça marche.

Je l'ai regardée du coin de l'œil sans comprendre sa fascination pour les caméras. Elle a envoyé la main en pliant les genoux pour se voir à l'écran sans avoir la tête coupée à moitié. Elle était étrangement sérieuse alors que ce qu'elle faisait était plutôt comique. Et puis elle a eu l'air de se lasser de l'objet ; elle m'a demandé si on pouvait s'installer sur la terrasse pour discuter et elle est allée m'attendre dehors. Je l'ai rejointe avec un plateau contenant les tasses, le sucre et le lait, que j'ai posé sur la longue table en bois avant de m'asseoir.

— Merci ! Je peux aller à la salle de bain ?

— Vous connaissez le chemin...

Elle a esquissé un petit sourire en se levant, qui pourtant n'a pas chassé la gravité de son regard. Elle est passée près de moi et j'ai admiré l'air de rien ses jolies jambes que dévoilait sa jupe courte. Katsumi laissait une douce odeur de fruits exotiques sur son sillage.

Elle était dans la cuisine. Je suis rentré pour savoir si elle avait besoin de quelque chose.

Elle me faisait dos et, avant que j'aie pu lui poser la question, elle a poussé un gémissement de douleur et s'est écroulée par terre derrière le comptoir.

La première chose que j'ai remarquée, c'est que le bloc de couteaux était renversé. Je me suis approché et j'ai vu Katsumi recroquevillée dans une mare de sang qui prenait de l'expansion.

Elle tenait à deux mains un couteau qu'elle s'était planté dans le cœur et la vie avait déjà quitté ses yeux grands ouverts.

J'avais le souffle coupé et j'étais figé là, fasciné par cette vision d'horreur. Je ne saurais dire combien de temps j'ai mis avant de reprendre mes esprits. Je me suis penché avec l'intention de tenter des manœuvres de réanimation mais je n'y connaissais rien, je ne savais pas comment m'y prendre et je voyais bien que ce serait inutile. Katsumi avait parfaitement réussi ce qu'elle souhaitait faire. J'ai sorti le téléphone de ma poche et j'ai composé le 911. C'est seulement après qu'on m'a répondu, pendant que j'exposais la situation – *il y a une femme morte chez moi* – que j'ai remarqué le bloc-notes. Katsumi y avait laissé un court message d'une écriture droite et soignée, d'une main qui n'avait même pas tremblé alors qu'elle s'apprêtait à saisir un couteau pour se tuer.

*La caméra fonctionne, vous ne serez accusé de rien.*

J'ai jeté un coup d'œil à l'écran de l'ordinateur et je m'y suis vu, agité et nerveux, en train d'épeler mon nom de famille à un préposé qui m'enverrait des secours inutiles. J'ai reculé de quelques pas pour éviter de marcher dans le sang.

La mère était partie rejoindre sa fille. Pour l'aider à trouver son chemin.

Trois mois s'étaient écoulés. Je m'étais racheté à peu près le même mobilier ainsi qu'une nouvelle œuvre de Vince, encore plus grande que la précédente. J'avais aussi un Banksy, un Graham Hall, et mes petites toiles de Ryden et de Peck avaient été restaurées. Il n'y avait eu aucun phénomène inexplicable dans le loft depuis le triste décès de Katsumi Sato. J'étais à nouveau seul dans mon confort. Julianne ne m'avait jamais rappelé. Le message était clair : elle était passée à autre chose et il était temps que je le fasse aussi.

Je fabriquais un chien en origami avec une page de mon bloc-notes quand Yuji Karasu a sonné. Je lui ai ouvert et il a tout de suite remarqué ce que j'avais à la main.

— C'est une tortue ?

— Ben là ! C'est un saint-bernard !

— Ah bon. Ah oui, je vois un peu... Ça, c'est sa tête ou sa queue ?

— Continue comme ça et je te le fais bouffer.

— Il nous en manque combien pour arriver à mille ?

— Six !

— On finit ça tout à l'heure ?

J'ai acquiescé et j'ai mis mon petit-animal-difficilement-identifiable avec les autres, sur le bord d'une fenêtre, pendant que Yuji retirait sa casquette et déposait son sac. Il n'était pas venu seulement pour bricoler. Nous avons décroché *M* du mur et nous sommes descendus par l'escalier de secours sans perdre notre temps à essayer de faire entrer le tableau dans l'ascenseur.

J'avais installé une grosse poubelle en métal près du sentier qui courait derrière l'Orphéon, au bord de l'eau. Yuji a posé le tableau sur la pelouse fraîchement tondue et nous avons sauté dessus à pieds joints afin d'en arracher le cadre et de briser sa structure. Nous avons ensuite entassé les morceaux dans la poubelle. Ça dépassait un peu de tous les bords, mais ça rentrait. Yuji contemplait le résultat, immobile et silencieux. Un homme blessé, rongé par la culpabilité d'avoir négligé sa fille pendant qu'elle était vivante et d'avoir laissé son ex-femme en mourir. Un homme brisé et inconsolable, que même son art ne pouvait plus guérir. Nous formions un duo hors pair. Deux mésadaptés sociaux qui tentent de se réhabiliter avant qu'il soit trop tard, avant de devenir d'irrécupérables épaves.

Je lui ai tendu la boîte d'allumettes. Il en a pris une, l'a fait craquer et a mis le feu à sa toile à plusieurs endroits. Les flammes se sont vite propagées. *M* n'était plus qu'un grand feu libérateur rouge, noir et jaune que nous regardions avec fascination, presque hypnotisés.

Nous avons levé la tête en même temps. Par les fenêtres ouvertes de mon appartement, on entendait distinctement l'*Ave Maria* de Schubert qui s'était mis à jouer à plein volume.

C'est exactement ce qui nous manquait.

## MERCI

Véronique, Patrick, Roxanne et Geneviève, avec qui ce fut un plaisir de travailler, d'échanger et d'être pompette. Vous êtes inspirants ! Martin, Martin, Stéphane, Annie, Myriam et tout le reste de l'équipe chez VLB pour le travail, l'enthousiasme, le vin et la bouffe. Emily pour l'amour, les critiques et les encouragements. Vince, Mark Ryden, Marion Peck, Banksy et Yuji Karasu pour les toiles. Geneviève pour la lecture critique. Tous les amis qui m'ont suggéré des livres ou raconté leurs histoires de fantômes. Tous mes lecteurs, particulièrement ceux qui lisent les remerciements jusqu'à la fin.

Québec, Canada
2012

Cet ouvrage composé en MrsEaves corps 13,5 a été achevé d'imprimer au Québec
le neuf octobre deux mille douze sur papier Enviro 100 % recyclé
pour le compte de VLB éditeur.